DRAMAS Y POEMAS

para días especiales

Número 3

Adolfo Robleto

EDITORIAL MUNDO HISPANO

EDITORIAL MUNDO HISPANO

7000 Alabama Street, El Paso, TX 79904, EE. UU. de A.
www.editorialmh.org

Dramas y poemas para días especiales, número 3. © Copyright 1992. Editorial Mundo Hispano, 7000 Alabama Street, El Paso, Texas 79904, Estados Unidos de América. Todos los derechos reservados. Prohibida su reproducción o transmisión total o parcial, por cualquier medio, sin el permiso escrito de los publicadores.

Ediciones: 1992, 1994, 1995, 1997, 1998
1999, 2000, 2002, 2004
Décima edición: 2006

Clasificación Decimal Dewey: 808.82

Temas: 1. Dramas – Colecciones
2. Poesías – Colecciones
3. Días festivos – Programas

ISBN: 0-311-07012-4
EMH Art. No. 07012

2 M 11 06

Impreso en Colombia
Printed in Colombia

INDICE

MATRIMONIO

CUMPLEAÑOS Y NACIMIENTO

DIA DE LAS MADRES

DIA DEL PADRE

DIA DEL NIÑO

PENSAMIENTOS POSTUMOS

FIN Y COMIENZO DEL AÑO

NAVIDAD

RESURRECCION Y SEGUNDA VENIDA DEL SEÑOR

PASTOR E IGLESIA

SECCION MISCELANEA

ACCION DE GRACIAS

Gracias, Señor

Gracias, Señor, porque eres bueno,
Lleno de amor hacia el mortal;
Porque tu mano es amplio seno
De donde brota en grado pleno
Tu paz preciosa y celestial.

Gracias te doy en este día
En que recuerdo tu gran favor
De darme un poco de tu alegría,
Que hacen jardín al alma mía
Con el aroma de linda flor.

Gracias, mil gracias, por tus bondades,
Que no se pueden enumerar;
Porque alumbras con tus verdades
Y nos perdonas nuestras maldades
Para en tu gloria poder entrar.

Gracias, también, por los momentos
Que chispa dan de inspiración,
Cuando nos libras de mil tormentos
Y nos prodigas nuevos alientos
Que traen paz al corazón.

Gracias, Señor, por las mañanas
Que el astro-rey baña de luz;
Y un manto blanco por las sabanas
Se va extendiendo en las tempranas
Horas del día como un capuz.

Y por las tardes, que dan solaz,
Y nos invitan a descansar;
Y por las noches de sueño y paz
En que a mi lado tú siempre estás
Y haces alegre mi despertar.

Todo lo que haces es lindo y bueno;
Tienes poder, muestras amor;
De tus bondades me encuentro lleno,
Por eso, oh Dios, con gozo pleno
Canta mi alma a ti loor.

Innumerables son tus favores
Como arenas contiene el mar;
Como en los campos brotan las flores,
Y al cielo cubren con sus fulgores
Todos los astros en su brillar.

Gracias, en fin, porque eres Dios,
Rey sempiterno y gran Creador;
Porque se escucha doquier tu voz
Y todo sigue de ti en pos,
Del universo, su Propulsor.

AMOR

Esposa mía, yo te saludo

Me dijiste el otro día,
En queja suave y sutil:
"Hace tiempo una poesía
Tú no me has vuelto a escribir."
Y te dije: "Es verdad,
Y no es que ya no te quiera,
Pues mi gran felicidad
Es tenerte aquí en la tierra."

Créeme, amor, que sentí
En mi pecho honda pena,
Pues tú vives junto a mí
Estable como una peña.
Luego me puse a pensar:
Mi esposa tiene razón;
Mi amor le debo mostrar,
Amor de mi corazón.

De modo que aquí me tienes,
Con un lápiz y papel,
Recordando tantos bienes
De tu cuidado tan fiel.
Quiero mirar al pasado,
Al camino recorrido:
¿Verdad que hemos gozado?
¿Verdad que hemos sufrido?

Mucho tiempo hace ya
Que unidos vamos los dos,
Pues con nosotros está
El amor de nuestro Dios.
Larga ha sido la jornada,
De nuestro mutuo vivir;
En Dios puesta la mirada,
Juntos hemos de seguir.

Compañera ideal y buena
Tú has sido para mí;
En la alegría, en la pena,
Tu aliento siempre sentí.
Los hijos que Dios nos dio
Son tesoros del amor.
Muy adentro llevo yo
De la esperanza el fulgor.

Es cierto que ha habido espinas
Que nos han hecho sufrir;
También rosas purpurinas
Que hacen muy grato el vivir.
Esta es, pues, la poesía
Que mi amor te escribe hoy.
Ven a mí, amada mía,
Ven aquí donde yo estoy.

Una hija con un problema

(Diálogo entre una madre y su hija. La madre, de nombre Susana, tiene unos cuarenta y tres años de edad. La hija, de nombre Clarisa, tiene dieciocho años de edad.)

LA MADRE.— Hija, he deseado tener una oportunidad de platicar a solas contigo. Y hoy que no fuiste a tus clases en la universidad, y que te veo un poco calmada, me parece que sería un buen tiempo de que conversáramos las dos como madre e hija.

LA HIJA.— ¡Ay, mamá! Adoptas una actitud de solemnidad como si fueras a un jurado. ¿Y qué es lo que tenemos que hablar? ¿No podríamos dejarlo para otra ocasión?

LA MADRE.— Creo que no, Clarisa. Las cosas de importancia deben atenderse de inmediato.

LA HIJA.— ¿Y por qué ese misterio? Hablas como si fuera el fin del mundo.

10

LA MADRE.— Mira, hijita, después que me escuches te darás cuenta que es importante para ti que conversemos, como mujeres que somos, y aprovechando que tu padre y tus hermanos todavía no regresan de sus trabajos.

LA HIJA.— Está bien, mamá *(acercándose a ella);* soy toda oídos. ¡Habla!

LA MADRE.— Clarisa, te he venido observando durante estas últimas semanas, y veo que tu comportamiento es muy distinto que antes. Te muestras retraída, pensativa. Tú eres una muchacha de natural alegre y comunicativa, pero ahora. . . no sé. . . ¿Te sucede algo, hija? Ten confianza en tu madre y dímelo todo, completamente todo. . .

LA HIJA.— ¿Y qué quieres que te diga? ¿Has sabido algo malo acerca de mí?

LA MADRE.— *(Hablando despacio.)* Pues. . . no exactamente. Pero nosotras las madres tenemos una cierta intuición especial, algo así como un sexto sentido, un ojo clínico, y difícilmente nos equivocamos.

LA HIJA.— *(Haciendo esfuerzos por disimular.)* Me parece que te equivocaste de profesión. Mejor trabajaras de detective. Así le ayudarías más a papá con las finanzas del hogar.

LA MADRE.— Vamos, hija, no trates de desviar la conversación, y déjame llegar al grano. Contéstame la pregunta. A ti te está ocurriendo algo, porque, además, ¿verdad que tu cuerpo está cambiando? Algo raro sucede con tu cuerpo, lo cual ya no escapa a mi observación.

LA HIJA.— *(Mostrando un poco de irritación.)* ¡Mamá! ¿Qué quieres insinuar con tus palabras? Me molestas y me haces enojar.

LA MADRE.— Clarisa, no te alteres. Yo no insinúo, yo pregunto. Tú tienes que pensar que con evasivas no se resuelve una situación. Y hay algo más. Nadie mejor que la madre de una para comprender y aconsejar a su hija. Abreme tu corazón y ten confianza en mí. Yo sólo quiero ayudarte.

(La hija se queda por unos minutos absorta, se cubre la cara con las manos y, de pronto se echa sobre el pecho de su madre. Llora y balbucea.)

LA HIJA.— ¡Mamá, madre mía! Perdóname, mamá. Y no sé cómo decírtelo. Es que tú sabes, mamá. ¡Ay, Dios mío! ¿Por qué? ¿Por qué?

LA MADRE.— Desahógate, hija, y cuéntamelo todo. Andale, mi hija.

LA HIJA.— Mamá, ¿no me vas a odiar, verdad? Tengo miedo. . . mi papá me echará de la casa. Mis hermanos se avergonzarán de mí. Y yo, ¿adónde iré? Mamá, te voy a decir la verdad, sí. . . estoy embarazada. Pero no te apures, ya me informé de un lugar donde le practican a una el aborto, y pienso ir allí.

LA MADRE.— Vamos con calma, hija. No te desesperes ni te precipites. Esta no es una cosa simple. Yo ya me lo temía que una cosa así te podía pasar, porque las compañías con quienes has andado últimamente para nada me impresionaban bien. Además, ese novio con quien andabas a las escondidas, siempre tuve el presentimiento de que no tenía buenas intenciones para contigo.

LA HIJA.— Tienes razón, mamá, pero los tiempos de ahora son muy distintos de los tuyos, cuando tú eras una jovencita. Para una ser popular y ser aceptada en los círculos juveniles y colegiales, una tiene que hacer lo que las otras muchachas hacen. Pero, mamá, si aborto esta criatura que se está formando en mi vientre, el problema queda resuelto, y nadie se dará cuenta de lo que pasó.

LA MADRE.— Hija, vayamos por partes. No hiciste bien ni tampoco es bueno y sabio lo que estás pensando hacer ahora. Por favor, ten paciencia y escúchame.

LA HIJA.— Sí, mamá, voy a escucharte, pero, antes que todo, yo te ruego que me perdones, que no me desprecies, que me ayudes. Llevo dentro de mí un sufrimiento y una vergüenza que me están matando.

LA MADRE.— Me da gusto oír las palabras que acabas de decir. Sí, hija, tu madre te perdona. Espero sí que estés arrepentida. El primer paso a la solución de una situación de pecado, de desobediencia es el arrepentimiento. Por supuesto, como una hija de Dios que eres, primero debes confesar tu pecado a Dios, porque es a él a quien primero ofendemos cuando cometemos pecado. Pero Dios es misericordioso para perdonar si en el nombre de Cristo su Hijo le pedimos el perdón.

LA HIJA.— Sí, mamá, me siento arrepentida y le pido a Dios que me perdone. Pero me falta valor para enfrentarme a mi papá y a mis hermanos con este problema. ¿Cómo van a reaccionar ellos. . .?

LA MADRE.— Déjame a mí resolver con ellos este aspecto de tu situación. Tu padre y tus hermanos son temerosos de Dios y ellos más bien tratarán de ayudarte.

LA HIJA.— ¡Ay, mamá, qué buena eres! Me estás ayudando con tu sabiduría. Pero, ¿y lo del aborto? ¿Qué me dices?

LA MADRE.— Yo sé que tú en estos momentos estás confundida y desesperada. La primera solución a tu problema es de carácter espiritual. Y en cuanto a esto, veo que vas en buena dirección. Ahora, el siguiente paso es que esta noche, después de que hayamos cenado como familia, tengamos una reunión.

Ahora bien, en cuanto a lo del aborto, yo creo que la opinión de tu padre y de tus hermanos será igual a la mía. El aborto no es ninguna solución. Esto sería agregar un pecado a otro.

LA HIJA.— ¿Por qué, mamá? ¿Por qué dices eso?

LA MADRE.— Porque el aborto significa matar una vida, y la vida es Dios quien la da y sólo él tiene el derecho a quitarla. Además, habría otras consideraciones que tener en cuenta.

LA HIJA.— Pero, ¿qué en el caso cuando la vida de la madre está en peligro?

LA MADRE.— Si tal es el caso, pues, es prudente estudiarlo desde todos sus ángulos. Y en esto, el consejo técnico de un médico competente y confiable es muy necesario. Pero vamos a platicar sobre las varias alternativas que hay esta noche en rueda de familia. Bueno, hija, vas a tener que sufrir las consecuencias de tu descarrío. Lo que conviene hacer ahora es que tú te dejes guiar de tus padres, que te sometas a los exámenes clínicos necesarios y que todos, como familia, nos preparemos espiritual, emocional y prácticamente para recibir a este nuevo ser que será hijo, sobrino y nieto de los que vivimos en esta casa. Y nuestra actitud cristiana debe ser de atenderlo, amarlo y conducirlo en los caminos del Señor.

LA HIJA.— Gracias, madrecita, por el gran apoyo que me das. Ahora estoy entrando en razón. Me ha sido muy duro aprender esta lección de la vida real. Siento que Dios me está dando valor y sé que él ya me perdonó y me ayudará a ser una buena madre. No, mamá, no seguiré pensando en ningún aborto. Tendré a mi hijo y me dedicaré a él. Con tu sabiduría de madre cristiana y temerosa de Dios, y con el respaldo de mi padre y mis hermanos, confío que el Señor me ayudará a rehacer mi vida. Ahora recuerdo que hace algunos domingos, el pastor de nuestra iglesia en el sermón que predicó dijo que Dios, en su misericordia, siempre nos da otra oportunidad, si a semejanza del hijo pródigo nosotros nos volvemos a él en arrepentimiento, humildad y fe.

LA MADRE.— Está bien, hija. Ahora hay que mirar hacia adelante. Y, por supuesto, hay otros ángulos de orden práctico que no los debemos pasar por alto. Pero todos juntos, con amor y sabiduría, iremos haciendo las cosas correcta y justamente. Lo importante es que este niño o niña nazca, y que le proveamos de un ambiente sano y bueno para su crecimiento normal. ¿Te parece, hija, que cerremos nuestro diálogo con una oración a Dios?

LA HIJA.— Sí, mamá, Por favor, ora tú.

LA MADRE.— Nuestro Padre celestial, aquí estamos dos de tus hijas, humilladas en tu presencia porque tú eres santo y nosotras somos pecadoras. Gracias, oh Señor, porque mi hija y yo hemos podido conversar con franqueza, con sabiduría y amor esta situación en la que ella se encuentra por haberse alejado de ti y de los caminos en los que sus padres la hemos criado. Te pido, oh Padre, que la rodees con tu gracia y le des fuerza espiritual para que no vuelva a caer en el pecado de la fornicación. Y ayúdala a enderezar sus pasos en la vida, y a que anhele casarse con un hombre cristiano y a establecer un hogar en el que Cristo sea el Jefe, y las enseñanzas de tu Santa Palabra sean la luz que guíe a la familia. Y a mí ayúdame a ser una buena madre cristiana, comprensiva y amorosa. Y que esta noche, al tener una reunión de familia, todos sintamos tu presencia y nos dejemos guiar por tu voluntad. Te lo pedimos en el nombre de tu Hijo nuestro Salvador, Cristo Jesús, Amén.

(Ambas, madre e hija, se abrazan. Se baja el telón.)

AMISTAD Y SIMPATIA

La vida y la amistad

¡Cuán hermosa es la amistad!
El siempre amigos tener.
Actuar con sinceridad
Y en gratitud florecer.

No es bueno sentirse solo,
Sin amigo y compañero,
Y tal vez sufrir el dolo
De quien finge ser sincero.

La vida sobria y sencilla,
De trabajo y honradez,
Será siempre la semilla
De fruto y flor a la vez.

Sólo una vida vivimos
En el mundo, y nada más;
Gozamos, también sufrimos,
Pero la meta es la paz.

Ventana de mi alma

Quiero expresarte en poesía
Los sentimientos de mi alma;
Tú me das mucha alegría
Y una agradable calma.

Es muy linda tu amistad,
Como pedazo de cielo.
Tú me das felicidad
Y un rayo de consuelo.

Te estoy colmando de amor
Porque amor es lo que siento.
Quiero más de tu calor
Ahora y cada momento.

De mi alma, pues, ya te abrí
La ventana de mi ser;
Asómate, y verás allí
Por ti un lindo querer.

Por ahora me despido,
Por un rato nada más,
Pues llevo adentro esculpido
El cariño que me das.

Para quien está sufriendo

1. Que en su hora de necesidad,
   El Dios de paz y consuelo
   Le alumbre con su luz
   Y le dé conformidad.

2. ¡Animo! En su momento de dolor
      le acompañamos.
   La esperanza es sol que alumbrará
      mañana.

3. La amistad es puente
   Que une los corazones.
   Sepa que hay alguien
   Que piensa en usted y ora.

4. Cual la rosa da su aroma
   Y alegra ver su color,
   Por esta nota se asoma
   De mi alma un rayo de amor.

5. El dolor de aquellos a quienes amamos
      nos da la oportunidad de orar.
   Todas las cosas traen escondido
      algún bien espiritual. Dios le ama.

6. En alas del viento envío
Como pétalos de flor,
Del jardín del pecho mío
El cariño y su dulzor
Para alegre saludarie
Con abrazo de amistad,
Y bendiciones desearle:
Salud y felicidad.

7. Que el rostro del Dios bendito
derrame luz en su camino.
Siempre tras la noche oscura
se levanta el sol de un nuevo día.
Usted tiene toda mi simpatía.

8. Cuando azota la aflicción
O al rugir la tempestad,
Le dará confortación
Descansar en la verdad.
Su palabra permanece,
El dolor es temporal;
Nuestro Dios a usted le ofrece
Protegerle en todo mal.

9. Toda tristeza es como una nube que pasa.
El sol de un nuevo día le alumbrará.

10. Entre las cosas más bellas
Que en la vida humana hay,
La amistad es una de ellas:
Don que el cielo a todos da.

Su amistad vale mucho para mí.

11. En momentos de dolor,
De aflicción o enfermedad,
La presencia del Señor
Le dará conformidad.

Confíe y espere en él.

12. En la vida hay problemas
    Y también hay solución;
    Pueden surgir lindas gemas
    De una mala situación.
    Si en Dios usted confía,
    Su camino él guiará,
    Y la luz de un nuevo día
    En su vida alumbrará.

Dios te ama

Tú, alma, que lloras de penas y angustia
Y sientes morirte aun estando con vida;
Y que eres cual flor que se cae de mustia,
O ave que vuela en el cielo, perdida...

Tal vez, pesimista, te invada el temor
De que es tu existencia cual lánguida llama;
Deténte y escucha la voz del Señor,
No temas, pues siempre a ti Dios te ama.

Si el mundo te insulta con burla y desprecio
Y hacerte gran daño lo piensa y lo trama,
Yo vengo a decirte con gusto y aprecio
Que el Dios de los cielos por siempre te ama.

Podrás carecer de muchas riquezas,
De empleo y salud, de aplausos y fama;
¿Qué importa si no hay en tu senda grandezas,
Si lo único bueno es saber que Dios te ama?

Enfermo o sano, en vida o en muerte,
Si el día o la noche su acíbar derrama
No debes pensar que eso es mala suerte,
Lo cierto es que Dios te guía y te ama.

Si miras afuera a tu alrededor,
O al cielo que arriba se enciende cual flama;
Si miras adentro en tu ser interior,
Hay sólo un mensaje, y este es que Dios te ama.

Si acaso la duda cual sombra te sigue,
Y piensas que el mundo de odio se inflama,
Permite que este hecho a tu angustia mitigue,
Encima de todo, es cierto: Dios te ama.

La guerra entre pueblos es cosa terrible,
Y el mal que sufrimos nos postra en la cama;
Pero una esperanza es siempre posible,
Controla la historia el Dios que te ama.

Entonces, mi amigo, no pierdas la fe,
La hermosa verdad acepta y proclama,
Las cosas de ahora se irán, bien lo sé,
Mas algo no cambia, y eso es que DIOS TE AMA.

ANIVERSARIOS DE BODA

Mi felicitación a mi esposa

En este día de un nuevo aniversario
Que cumplimos de casados tú y yo,
Te saluda de mi pecho el campanario
Con repiques de un amor que en mí nació.

Ya es muy largo el camino recorrido
Que un día iniciamos yo y tú,
Como dos tiernas palomas que en su nido
Se arroparon en su manto de tisú.

No miremos hacia atrás a lo pasado,
Que el pasado sus raíces ya sembró;
Hoy sigamos unidos al anhelado
País de gloria del que Jesús habló.

Es por eso que esta Biblia te regalo
Que en tu vida ha de ser espada y pan,
Su luz te librará del camino malo
Aun en los años que al venir se van.

Que Dios te conceda, pues, amada mía,
Algunos años más de vivir conmigo;
Mientras tanto disfruta de la alegría
De quien te ama como esposo y como amigo.

Felicitación por aniversario

1. En su aniversario de bodas
   Les felicito a los dos;
   Y que tengan en su vida
   Paz y bendición de Dios.

2. Siempre es una experiencia grata
   El cumplir otro aniversario,
   Por eso a ustedes va mi palabra
   De felicitación y agrado.

21

En vuestras Bodas de Plata

En esta fecha dichosa
De vuestras Bodas de Plata,
Quiero en palabra sensata
De amistad muy cariñosa,
Deciros que es tan hermosa
La ocasión que celebráis.
Por eso alegres estáis
Como nosotros también;
Hoy os dé su paz y bien
Nuestro Dios, en quien confiáis.

Cinco lustros han pasado
Desde el día en que los dos
Prometisteis ante Dios,
En matrimonio sagrado
Ser uno del otro amado.
Larga ha sido la carrera
Que en optimista manera
Juntos habéis recorrido.
Hoy veis el gozo cumplido
De vuestra unión tan sincera.

Es muy hermoso el hogar
Donde reina soberano
El amor sincero y sano
Que caricias sabe dar;
Donde se puede gozar
De un leal compañerismo,
Donde hay trabajo y altruismo
Que dan sentido a la vida,
Y dejan siempre encendida
La llama del idealismo.

De amistad y de decencia
Vuestro hogar es un ejemplo;
Y es también sagrado templo
De respeto y de prudencia.
Es centro de sana influencia
Porque en él Jesús está,

El Señor, quien tierno da
La preciosa bendición,
De su grata comunión
Que vuestra siempre será.

Vuestro hogar está fundado
En la Palabra de Dios,
Porque escuchasteis la voz
Del Espíritu sagrado.
Y porque habéis aceptado
Por Salvador a Jesús,
Quien vida nos dio en la cruz.
Seguid, entonces, leales
Cual cristianos los ideales,
Que son del mundo la luz.

La felicidad no está
En las cosas materiales,
Sino en los altos ideales
Y en los dones que Dios da.
Y vosotros tenéis ya
Del Señor las bendiciones:
Hijos llenos de ilusiones,
Hogar, trabajo y amor,
La presencia del Señor
Y amistades a montones.

Cuatro hijos Dios os dio,
Que son dicha del hogar;
En ellos podéis confiar
Así cual confío yo.
El Señor, quien les salvó,
De vosotros sea el Guía,
Y os sostenga noche y día
Con su gracia soberana,
Y él os dé cada mañana
Bendición, paz y alegría.

Sed, pues, hermanos
Felices en vuestro amor;
Y sed también del Señor

Denodados paladines.
Y tened en los confines
De vuestro fúlgido hogar,
La autoridad de mandar,
La gracia de bien servir,
La esperanza de vivir
Y de juntos siempre estar.

Hemos llegado a la cumbre

Hemos llegado a los cuarenta años
De estar casados en amor los dos
Bajo el amparo de nuestro buen Dios,
Quien nos ha librado de muchos daños.

Y como esposos, en nuestro cumpleaños,
Celebremos hoy otro aniversario.
Emelina: con gozo extraordinario
Aún vamos subiendo otros peldaños.

Ha habido tristezas y alegrías
En la senda de nuestro matrimonio
En tantas noches y en los largos días.

Transitemos juntos las muchas vías,
De amor constante demos testimonio.
CUARENTA AÑOS: BENDICIONES MIAS.

Mi felicitación

En esta fecha tan grata
De vuestras Bodas de Oro,
El recuerdo es un tesoro
Porque de triunfo se trata.
Que ninguna nota ingrata
Empañe este día santo;
Que resuene el dulce canto

De profundo regocijo
Porque la hija y el hijo,
A sus padres aman tanto.

Pasaron cincuenta años
De vida matrimonial;
Alcanzasteis el ideal
De vencer los desengaños.
Ante propios y extraños,
Familiares y amistades
Habéis puesto el sano ejemplo
En el hogar y en el templo
De respetar las lealtades.

Vuestro firme matrimonio
Como roca en mar rugiente,
Ante Dios y ante la gente
Es hermoso testimonio,
Pues vencido fue el demonio
De la lujuria carnal,
Y ahora sois un fanal
Que irradia luz al redor,
Porque el árbol del amor
Os da sombra celestial.

En esta bella ocasión
De legítima alegría,
Os lleva la expresión mía,
Que brota del corazón
La familiar emoción
Y el sincero sentimiento
Porque ha llegado el momento
Del feliz aniversario
De vuestro cincuentenario,
Que hoy tiene su cumplimiento.

A Dios con piedad imploro
Que os bendiga grandemente,
Y haga alegre y refulgente
Hoy vuestras Bodas de Oro.
Y también al cielo oro

Porque sigáis adelante
En vida de amor radiante,
Hasta el momento en que Dios
Os separa aquí a los dos,
Para su reino triunfante.

Décimas de amistad y felicitación

A una pareja de hermanos
Unidos en matrimonio
—Elocuente testimonio
De un amor de ideales sanos—;
A estos buenos cristianos,
Don Aurelio y doña Oliva,
Con expresión sensitiva
De cariño y amistad,
Les deseo de verdad
El calor de llama viva.

Hoy con santo regocijo
Celebran sus Bodas de Oro;
Con bendición y no lloro
Y un entusiasmo prolijo.
Cada hija y cada hijo
Ha venido a festejar
En el seno del hogar
A sus padres tan queridos,
Por los años transcurridos
De la vida en su viajar.

Yo también, como el amigo,
Que aprecia, ama y admira,
Hago timbrar de mi lira
Recuerdos que están conmigo.
Y extasiado ahora digo:
Este gran aniversario
Es evento extraordinario
De feliz recordación,
Por eso en esta ocasión
Arde más el incensario.

26

Les felicito, sincero,
En este día de amor;
Y que la paz del Señor
Sea luz en el sendero.
Y un porvenir lisonjero,
Arcoiris de amistad,
Les traiga felicidad
A ustedes con sus hijos,
Mientras todos miran fijos
A la eterna claridad.

DIA DE LA BIBLIA

La Palabra de Dios por las edades

Voz de Dios por las edades,
Tu Palabra es atracción.
Esperanza muy presente
En las horas de aflicción.
Del amor de Dios, testigo,
Gran sostén en el dolor.
Guía fiel y fuerza eterna
Ofrecidas con amor.

De los hombres es la historia
Al través de sombra y luz.
Sus verdades muy antiguas
Nos señalan a Jesús.
Las palabras del Maestro,
Que camino y vida son,
Nos atraen, nos inspiran
En la diaria confusión.

En las lenguas de los pueblos
Tu mensaje anuncia paz.
Mientras sabios eruditos
Tu Palabra aclaren más.
Dios, bendice a los hombres,
Tu verdad preciosa es.
Y que a todo el mundo invada
En su extensa redondez.

Y al través de las edades
Tu Palabra sea luz,
Que erradique las maldades
Con la sangre de Jesús.
Es la Biblia la Palabra
De poder y salvación;
Y la puerta ella nos abra
De la celestial mansión.

El hombre pequeñito

(Lucas 19:1-10)

CARLOS.— Te veo triste, José,
¿Me puedes decir por qué?

JOSE.— Es que soy muy pequeñito
Y me llaman "enanito".

CARLOS.— No te aflijas, oye bien:
Zaqueo es pequeño también.
Un día Jesús entró
Al pueblo de Jericó.
Mirarlo quiso Zaqueo,
Hombre rico y publicano.
Al fin cumplió su deseo,
Subióse a un árbol temprano.

JESUS.— ¡Oh Zaqueo! baja pronto,
Quiero a tu casa llegar.

CARLOS.— Y Zaqueo no fue tonto,
Bajó y corrió a su hogar.

Al llegar Jesús allí
A mucha gente miró,
Y sintiendo gozo en sí,
Del amor de Dios habló.

Abusando de su puesto
Zaqueo había robado,
Pero sufría el denuesto
De su pueblo defraudado.
Mas cuando Cristo le habló
Zaqueo se arrepintió,
Y dijo, puesto de pies,
Creyendo en Cristo a la vez:

ZAQUEO.— Señor,
Yo me siento arrepentido,
Quiero mi vida cambiar;
De todo lo que he cogido

Cuatro tantos voy a dar.
Por los pobres que hay aquí
Siento el deseo en mí,
De darles por caridad
De mis bienes la mitad.

JESUS.— En verdad que hoy ha venido
La salvación a esta casa
Pues también Zaqueo es hijo
De Abraham por fe y por raza.
El Hijo del Hombre vino
A este mundo a buscar
Al perdido peregrino
Para poderlo salvar.

JOSE.— Me has dicho una linda historia,
La guardaré en mi memoria.

CARLOS.— No te aflija tu estatura,
Tú también puedes creer;
Vida eterna bien segura
En Cristo hoy puedes tener.

JOSE.— Acepto a Cristo ahora mismo,
Mi bendito Salvador;
El me sacó del abismo,
Hoy SOY GRANDE por su amor.

DESPEDIDA

Dios te bendiga, hermano

Decir adiós al hermano,
Decir adiós al amigo,
Al que nos brinda el abrigo
De su cariño cubano
Produce un dolor humano.

Ver que se aleja el vecino,
El amado compañero,
Porque un nuevo derrotero
Le señala otro camino;
Eso es triste, yo adivino.

Tener uno que sentir
La ausencia del que se va,
Por el pesar que nos da
Verlo de pronto partir;
Eso nos hace sufrir.

Mas, ¿qué podemos hacer
Si la vida eso es:
Encontrarnos una vez,
Compañerismo tener,
Y un nuevo rumbo emprender?

Dios produce nuestro encuentro
Y Dios también nos aleja,
Mas siempre el recuerdo deja
Del amigo, muy adentro;
El amor es nuestro centro.

Esta es, pues, la realidad:
Don Orlando se nos va;
Y triste la Casa está,
Pues do existe la amistad,
La ausencia trae orfandad.

Mas no queremos llorar,
Y no deseamos gemir;
Sólo queremos decir
Que la vida es un viajar
En la tierra, aire y mar,

Hasta luego, caro hermano,
Dios le dé su bendición.
Y que en cada situación
De su gran esfuerzo humano
El le guíe con su mano.

Rosas para una amiga

Hoy despedimos con gran tristeza
A nuestra amiga y fiel hermana,
A Arabela, quien con firmeza
En esta noble y genial empresa
Hizo excelente labor humana.

Por muchos años aquí la vimos
Siempre ocupada en sus quehaceres;
Y la admiramos y la quisimos,
Y de ella ahora todos decimos:
"Fue cumplidora de sus deberes."

Con sencillez, año tras año,
En su trabajo perseveró.
Dio su amistad, no hizo daño;
Y su cariño, sin desengaño,
Planta de flores aquí creció.

No hizo alardes ni mucho ruido,
En su actuar humilde fue,
Pero el camino que ha recorrido
Lo deja limpio y florecido
Con su trabajo de amor y fe.

Mas sin embargo, llegó el momento
En que Arabela de aquí se va;

32

Y aunque hay tristeza no hay lamento,
Sino en todos el sentimiento
De gratitud, que gozo da.

Esta Casa Bautista, Arabela,
Te despide con sincero amor.
Y en Publicidad dejas la estela
De mil recuerdos, que cual candela,
Alumbrarán nuestra labor.

Entonces, Ara, tus compañeros
Rosas te damos de amistad;
Y que al ir por tus senderos,
De bendiciones tengas regueros
Y Dios te dé felicidad.

MATRIMONIO

Un himno al amor

Entonemos un himno al amor
Que es la fuerza divina, impulsora
Que a la vida le enciende calor
Y la envuelve de mística aurora.

El amor santifica las cosas
Porque es chispa que emana de Dios;
Y son rojas y bellas las rosas
Y a cortarlas caminan los dos.

Muy adentro están las raíces
De esta planta de amor en el ser
Para darnos momentos felices
Del humano y divino placer.

El amor es la causa de todo
Lo grandioso y sublime que hay;
Que transforma aun al pútrido lodo
En estrella que luce al brillar.

En amor se han unido dos vidas
Para juntos la ruta seguir,
Que les lleve a regiones floridas
En que puedan tranquilos vivir.

Ella es joven que ama y sueña
En su novio galán, dulce y fiel;
Con lealtad en servirlo se empeña
Porque ahora es la esposa de él.

Yo, el padre de él me aproximo
Y les doy paternal bendición,
Son mis hijos, que tanto estimo
Y les ama mi fiel corazón.

Hoy escucha la voz de tu suegro,

34

Que cual padre te quiere hablar;
Como nuera te acepto y me alegro
De que formes con mi hijo un hogar.

Y mi esposa también te recibe
Con amor, esperanza y fe,
Porque ella en su mente concibe
Que tu estancia alivio nos dé.

Sean, pues, bienvenidos los dos,
Hoy que esposos son ella y él;
Y que siempre al amparo de Dios
Vivan juntos en vínculo fiel.

Bonnie y Daniel

Bonnie y Daniel son dos jóvenes cristianos,
Y en ellos Dios prendió la chispa del amor;
Y hoy emprenden juntos, unidos de las manos,
La marcha esplendorosa por los senderos sanos
Del santo matrimonio, con fe en el Señor.

Son vidas muy preciosas que van por el seguro
Camino de esperanza, de triunfo y de lealtad;
Y quieren alcanzar el premio noble y puro
De un feliz presente, de un mejor futuro
Que es un hogar estable de paz y de amistad.

Yo vengo, emocionado, deseándoles del cielo
Que el Padre sacrosanto les dé su bendición;
Que si hay las horas tristes, reciban el consuelo
Que Dios en su Palabra les da con vivo anhelo
A los que en él confían con todo el corazón.

A ustedes, mis amigos, yo hoy les felicito
Con justo regocijo por esta santa unión.
Y sea vuestro hogar como un jardín bendito
En el que Cristo more —el Huésped exquisito—
Y quien os guarde siempre en dulce comunión.

Felicitación por casamiento

1. El amor es fuerza divina
   Que une los corazones;
   Sigan juntos por el sendero
   De las dulces ilusiones.
   Y hoy, en su día de bodas,
   Les doy mis felicitaciones.

2. Que cada día de los años de vuestro
        matrimonio,
   Se vea bañado de un amor inquebrantable,
        de una paz perenne y de una
        prosperidad hermosa.

3. Esta noche risueña y hermosa,
   De alegría profusa y de luz,
   Cual dos pétalos bellos de rosa
   Y al amparo del santo Jesús,
   Llenos dos corazones de ardor,
   Se han unido en amor.

   Tal es mi deseo para ustedes en su feliz noche de
   matrimonio.

La princesa se casa

Nuestra amiga Sofía, la gentil señorita,
La de ojos azules y de rizos dorados;
La que vive y trabaja por la gracia bendita
Y camina confiada del Señor en sus prados,
Hoy se mira contenta y se siente feliz
Cual si fuese una rosa de impoluto matiz.

Con su pose de reina en su trono de amor
Ella irradia hermosura, ella exhala candor;
Y sus padres la admiran, sus hermanos también.
Se engalana su hogar de una dicha divina;
Tiene el sol cortinajes de una luz purpurina,
Y el cielo le augura muchos días de bien.

¿Qué razones explican esta fiesta hogareña?
¿Por qué ella, de euforia, hoy se siente la dueña
Y regala sonrisas y aroma de flor?
¿Por qué trinan las aves y murmura la fuente,
Y la brisa del campo acaricia el ambiente
Con bucólicas notas de celeste cantor?

Es que hoy nuestra amiga, la princesa Sofía,
Al altar se aproxima con temblor y alegría
Porque es novia risueña de su joven galán.
Y su padre Arturo la conduce del brazo
Para que ella y el novio, con un beso y abrazo,
Ante Dios se prometan que los dos se amarán.

Hoy Sofía se une en feliz matrimonio;
Ella y Jorge Eduardo son un fiel testimonio
De que son importantes la amistad y el amor.
Hoy dos vidas se unen y se enciende un hogar;
El promete a Sofía proteger y amar,
Y los dos, obedientes, seguirán al Señor.

El motivo es muy justo; el evento es feliz,
Ya Sofía será la señora de Ortiz,
Y una época nueva se les abre a los dos,
Es el santo misterio de que ahora son uno;
Separarlos no ose, por lo tanto, ninguno
Porque hoy son esposos al amparo de Dios.

La princesa está alegre, ¿qué tendrá la princesa?
Su fiel príncipe azul la corteja y la besa
Y le ofrece llevarla en carruaje de amor,
Para irse muy lejos sobre un mar de bonanza
Al jardín do revienta bella flor de esperanza,
Y allí juntos. . . felices. . . vivirán sin temor.

CUMPLEAÑOS Y NACIMIENTO

Mi cumpleaños

Por la gracia del Señor
Hoy estoy cumpliendo años.
Larga ha sido mi labor,
Hubo penas, hubo amor
Y algunos desengaños.

Me ha sido hermoso vivir,
Pues la vida es muy hermosa.
Es preferible vivir
A eso de no existir
Cual si uno fuese una fosa.

La vida es un rico don
Y una sin par maravilla;
Del amor es expresión
Que tiene en Dios la razón,
El Creador de la semilla.

Un misterio es la vida,
Un asombro sin igual;
Su raíz está escondida
Como energía metida
En la expansión sideral.

Y de allí surge esplendente
Llama radiosa y divina,
Como brota de la fuente
Por una fuerza potente
Agua fresca y cristalina.

Muchos años he vivido
Y no me quejo de nada;
Cierto es que he sufrido
Pero siempre he tenido
Una fe muy reposada.

Ya el peso de los años
En mi cuerpo yo lo siento,
Pues ellos traen sus daños
Que van haciendo araños,
Seguro y a paso lento.

Linda ha sido mi experiencia
De vivir en este mundo;
El Señor me ha dado ciencia,
Y humildad y paciencia
Y regocijo profundo.

¿Cuántos años más tendré
En mi vida terrenal?
Pues, realmente, no lo sé,
Pero camino por fe
En mi Padre celestial.

No me interesa la edad
Ni me aflige la vejez;
Lo que yo quiero, en verdad,
Es hacer la voluntad
De quien Soberano es.

Gracias, oh Dios, porque en ti
Está puesta mi esperanza,
Y porque ahora y aquí
Yo siento dentro de mí
Tu amor, tu paz y bonanza.

Felicitación de cumpleaños a mi esposa

Hoy es fecha de suma importancia
Porque un año agregas a tu vida,
Y al mirar hacia atrás la recorrida
Senda en que tú regaste la fragancia,
A Dios da gracias por su fiel constancia.

Has llegado a cumplir sesenta abriles
—Arbol florido de magnolias blancas—

Y del jardín de tu existencia arrancas
Flores de encanto de años infantiles,
Sueños dorados de años juveniles.

Mas hoy el tiempo se nos vuelve carga
Y el ayer se ve demasido lejos;
Y, sin embargo, nuestra vida es larga
Y atrás se queda toda lucha amarga
Y un nuevo día lanza sus reflejos.

Déjame, entonces, oh amada mía,
Decirte, humilde, que yo te amo tanto;
Y que me es muy dulce tu compañía
Porque da a mi alma paz y alegría,
Y me libera de aflictivo llanto.

Por tu cumpleaños, pues, te felicito
Y a Dios le ruego que te dé más vida.
No te me vayas, que vivir solito,
De mí haría un árbol marchito
Al que el rayo dióle mortal herida.

Sigue tranquila tu existencia humana,
Sin dolor, sin pena, sin ansiedades;
La noche quedó atrás, y hoy la mañana
Luzca hermosa, alegre y soberana,
Con años de esperanzas y de verdades.

Felicitaciones en tu cumpleaños

De nuevo, mi amada, celebras cumpleaños,
Que es fecha muy grata en nuestro vivir;
Pues han sido buenos y muchos los años
Que juntos estamos en mutuo existir.

Ya no hay la emoción, es claro, de aquellos
Momentos de antaño —fugaz juventud—;
Nos quedan, no obstante, vivaces destellos
De dulces recuerdos, de amor y virtud.

Yo vengo a obsequiarte con todo cariño
Los buenos deseos de mi corazón:
Aroma de flores, sonrisas de niño,
Lo cual hoy te entrego con gran devoción.

Que Dios te bendiga, mi fiel compañera,
Prolongue tus días de paz y de bien;
Teniéndote cerca será primavera
Y el uno al otro nos damos sostén.

Por toda tu vida en Cristo el Señor;
Las penas son sombras que vienen y van,
Vivamos contentos, radiantes de amor,
Los años son plantas que frutos nos dan.

¡Feliz cumpleaños, esposa mía!

Por la gracia del Señor
Un año más se agrega a tu existencia,
Sobre esta tierra en la que tú naciste.
Fecha importante, pues, es ésta
Porque la vida de luz te viste.

Déjame, entonces, amada mía,
Que te celebre tu Feliz Cumpleaños,
Deseando que tengas en este día
Ramos de flores de jardines raros.
Y mil coronas de lustrosas perlas,
Que tu pecho adornen cual si fueras reina.

Dios te conceda otros años más
Y que los goces con salud y vida;
Y que la senda por la que alegre vas
Se vea siempre reflorecida.

¡Feliz Cumpleaños! te deseo, ardiente,
Porque te amo y te amaré.
La vida es triunfo si la ves sonriente,
Y si la vives con amor y fe.

Atrás quedaron los pasados tiempos,
Con sus días claros, con sus noches tristes
Pues la existencia, como rueda, corre...
Deja el ayer porque el ahora viene.

Hay que mirar lo que está adelante
Porque más cerca de la gloria estamos.
Se nace y se muere tan sólo en un instante;
Por este mundo rápido pasamos.

Nuestra esperanza es la vida eterna
Allí no hay tiempo, allí no hay años,
Sólo envejece la parte externa;
Por dentro hay gozo sin desengaños.

¡Feliz cumpleaños!

Para una bella princesa
Que años cumpliendo está,
En el néctar de una fresa
El cariño de mi alma va.

En el jardín de mi vida
Ella es la más linda flor,
Que me brinda su acogida
Con sus pétalos de amor.

Dios te dé felicidad
A ti, mi blanca paloma,
Porque tu dulce bondad
Por tus dos ojos se asoma.

Para mí no cumples años,
Pues siempre te veo igual.
¿Cómo puede haber araños
En tu rostro angelical?

Sigue, pues, radiante y bella,
Como Perla, Verso y Flor.
Sé de mi cielo la estrella
Que me alumbra con fulgor.

Que vivas mil años quiero,
Como sol que no se apaga
Porque sin ti yo me muero,
Me vuelvo una sombra vaga.

Sé feliz en tu cumpleaños
Y sé feliz en tu vida;
En tu senda no hay engaños,
Sino una luz encendida.

Feliz cumpleaños, hijo mío

Fuerte lucha en tu vida has tenido
Y, no obstante, la vida ha seguido
Como río en su raudo correr.
Has bajado y subido, ¿no es cierto?
Y ya eres un hombre despierto
Y tu anhelo es vivir y vencer.

Por delante una meta te atrae
Como rueda que aplasta y rae
Los obstáculos muchos que hay.
No se mira hacia atrás y se avanza,
Ni con miedo el triunfo se alcanza:
El pasado se fue; ya no está.

No es tan sólo otro año cumplir;
Lo que es bueno es saber discernir
Y en la vida tener madurez.
La edad es factor sólo externo
Porque adentro —en el alma— lo eterno
No se mide por año o por mes.

A tu edad no se cuentan los años,
Porque ellos son sólo peldaños
Que nos hacen subir y bajar.
Lo que importa es cumplir objetivos
Y dejar que a los años cautivos
Se los lleven las olas del mar.

Tu cumpleaños nos da regocijo,
Porque eres Daniel nuestro hijo:
Hoy, ayer y mañana también.
Que el Señor te dé auxilio divino
Y te ofrezca exitoso camino,
Y te colme de amor y de bien.

Mi felicitación en tu cumpleaños

A una niña tierna y gentil,
Botón hermoso que se abre en flor;
Que está rodeada por más de mil
Encantos dulces, pringues de amor.

A una niña que hoy cumple años
Dentro del seno de su hogar;
Que está pequeña y no hace daños,
Sino que sólo sabe amar. . .

Hoy yo me acerco para expresarle
Mi sincera felicitación;
Y quiero humilde manifestarle
Que yo la amo de corazón.

Recibe, entonces, buena Yadira,
El fiel cariño de tu pastor;
Y Dios el Padre, que a ti te inspira,
Te dé en tu vida su santo amor.

Con tus hermanas vive contenta,
Y da a tu madre felicidad.
Sé niña buena, dulce y atenta
Y a tu padre ama en verdad.

Felicitación de cumpleaños

En este su nuevo cumpleaños
Le deseamos felicidad;

44

Que goce bienes, no sufra daños
Y entre un día en la eternidad.

Un año más es un año menos,
Es otro paso en el camino;
Con el Señor siempre son buenos
Todos los días de nuestro destino.

Siga con gozo aquí viviendo
Con sus amigos que la aman tanto;
Y continúe al Señor sirviendo
Y en su vida no habrá quebranto.

A una niña angelical

Estás cumpliendo otro año,
Mi adorada nietecita;
Te admiro con gozo extraño,
Mi preciosa muñequita.

Como un botón que revienta,
Como una estrella que alumbra,
Te miras siempre contenta
En tu vida sin penumbra.

Poco a poco vas creciendo
Como la luz de la aurora,
Y tus galas esparciendo
Cada día y cada hora.

Eres criatura inocente,
Tú no conoces el mal;
Sé siempre niña sonriente
Con sonrisa angelical.

Tres años tienes de vida,
De dar aroma cual flor;
Eres la llama encendida
En la hoguera de mi amor.

45

Eres la dulce esperanza
Que trae a mi alma solaz;
Yo diviso en lontananza
Tu ministerio de paz.

Sigue, pues, mi nieta hermosa
En tu sendero de luz,
Como lámpara radiosa
Que fulgura por Jesús.

En tus quince primaveras

Tus quince años cumpliendo estás
En este día de paz y amor.
Toda tu infancia se queda atrás;
Eres ahora hermosa flor.

Haz alcanzado la edad bonita,
La edad sonriente, primaveral.
Sé siempre afable, la señorita
Que ama a Cristo y no hace el mal.

¡Feliz Cumpleaños!, nuestra Verónica,
De tus abuelos recibe hoy.
Sea tu vida dulce y armónica,
Irradia gozo a tu alrededor.

Que Dios te guarde, amada nieta,
Y en tu existencia te haga triunfar.
Y en esta fecha de grata fiesta,
Por ti queremos todos gozar.

Felicitación por cumpleaños

1. Muchas felicidades
   En su cumpleaños,
   Y prosperidad y bendiciones
   Durante el nuevo año.

2. Un cumpleaños muy feliz
   Con bendiciones del cielo
   Yo deseo para ti
   En amistoso anhelo.

3. Al cumplir un año más
   La gratitud se acrecienta
   A Dios, quien le da solaz
   Y quien su vida la alienta.
   Con amor le felicito
   En su cumpleaños dichoso,
   Y que un tiempo muy bendito
   Le traiga profundo gozo.

4. Cumplir otro año de vida
   Es abrir otra ventana
   Hacia la senda florida
   De un más brillante mañana.
   Por eso, felicidad
   En este día deseo
   A usted, con lealtad
   De un amigo sincero.

Felicitación por el nacimiento

1. Como el botón revienta en flor,
   O como el día brota en luz;
   Así un hijo de vuestro amor
   Está con vida y con salud.

   Que Dios se los guarde y que sea de
      gran bendición en vuestro hogar
      por muchos años.

2. Nuestras muy sinceras felicitaciones
      por el niño que ha nacido
      en el seno de vuestro hogar.
   Este niño es la sonrisa de Dios
      sobre el amor que a ustedes les une.

3. El jardín de vuestro hogar
   se encuentra engalanado
   con el nacimiento de la criatura
   que esperaban.
   Nos alegra saber del feliz nacimiento.
   Dios les bendiga.

DIA DE LAS MADRES

Bienvenida a las madres aquí presentes

Bienvenidas sean las madres aquí presentes.
Que se encuentran adorando en la Casa del Señor:
Y un recuerdo brindamos a las madres ausentes.
Quienes gozan en gloria de una vida mejor.

Hoy es Día de Madres y contentos estamos
Porque Dios el Creador una madre nos dio:
Y con gozo al Señor gratitud le expresamos.
Cada madre es un ángel que del cielo bajó.

Como hijos debemos a las madres honrar.
Ellas bien se merecen nuestro trato de honor:
Y atenciones constantes les debemos brindar
Y rodearlas de aprecio y magnífico amor.

Importante tarea toda madre realiza
En su empeño por dar hijos buenos y sanos.
Y en su noble carácter ella bien sintetiza
Sentimientos y dones celestiales y humanos.

Bienvenida os damos. madres bellas y amadas.
Porque sois de los hijos guía. ejemplo y sostén.
Y las muchas coronas que tenéis ya ganadas.
Con su brillo os conduzcan por las sendas del bien.

A mi madre

A mi madre tan querida
Le deseo en este día
Salud. paz y larga vida.
Prosperidad y alegría.

Y a Dios las gracias doy
Por la madre que me dio.

Pues por ella siempre voy
Por la senda en que me guió.

Que Dios te bendiga, madre,
En este día de amor;
Nosotros, tú y mi padre,
Todos somos del Señor.

Canto a mi madre

La madre que el Señor me dio,
A esa amo yo;
Y a Dios le canto con loor
Por su infinito amor.
Mi madre es cariñosa y fiel
Y es dulce cual la miel;
Por darme la felicidad
Me sirve con lealtad

¡Oh linda madre!, ¿dónde estás?
Pues quiero amarte más.

Desde el momento en que nací
Mi madre me ama a mí;
Y con ternura me cuidó,
De daños me libró.
Atenta estuvo a mi llorar,
Mis pasos supo guiar,
Ejemplo de constancia y fe
Mi madre siempre fue.

A Dios mil gracias yo le doy,
Su senda sigo hoy;
Mi madre me enseñó de él
Y a Cristo serle fiel.
Por eso canto con fervor,
Con gozo y con amor.
¡Oh madre, escucha mi cantar!
No te podré olvidar.

(Letra adaptada a la música del himno en inglés *I Walked
Today Where Jesus Walked*.)

50

Fe de nuestras madres

La fe de nuestras madres viviendo está,
En la canción de cuna y en la oración;
En el amor que cuida y en el hogar
La presencia de ellas trae bendición.
Fe de nuestras madres, oh viviente fe,
Te seremos fieles hasta el fallecer.

Fe de nuestras madres, abundante fe,
La fuente de confianza de la niñez;
De una raza noble, tu consagración,
La fuerza productora, potente es.
Fe de nuestras madres, abundante fe,
Acompáñame donde quiera que tu hijo esté.

La fe de nuestras madres es fe guiadora,
De jóvenes con dudas y con anhelos;
Sin ella, la visión se torna obscura,
Y tan confusa como los negros cielos.
Fe de nuestras madres, que conduce bien,
Acércame a la cuna del Niño de Belén.

La fe de nuestras madres es fe cristiana
En la verdad suprema que Dios creó;
Ella es útil al hogar y a la iglesia
Y al través de las obras se demostró.
Oh fe de nuestras madres, cristiana fe,
Que siempre a mi vida fortaleza dé.

Confianza en Dios

En el regazo de su madre el niño descansa,
Y en ella, sin temores, él pone su esperanza;
El ave, que está en su nido, canta una alabanza,
Y alegre proclama
Su fe en Dios, quien le bendice y ama,
Y por doquier le alcanza.

No guarda nada, y tampoco simiente planta;

No se preocupa y, sin embargo, alegre canta;
Junto al arroyo do la hierba crece y encanta.
Allí el ave le enseña al hombre
Que no debe olvidar,
Sino implorar
De su Padre el nombre.

El corazón que confía siempre está cantando
Y al sentirse liviano, sueña que está volando;
Y un pozo de paz de su interior está brotando.
Y surja bien o venga mal,
Todo lo que hoy o en el mañana esté pensando,
La voluntad es del Padre celestial.

El himno de la madre

A ti, Señor, que das a la humanidad
Herramientas buenas y cuidados tiernos,
Te damos gracias por lazos de amistad
Que a la madre unen con su amado hijo.

Gracias a ti damos por la esperanza,
Que ella siempre anida en su corazón;
Por su bello infante, que miradas lanza
A su dulce madre con vivaz fulgor.

Por tus bendiciones, gratitud a ti,
Porque su niñito en su regazo está;
Y cual buena madre ella le enseña allí
A mirar al cielo y a Dios orar.

Así dio gracias la bendita María
Cuando al santo Niño lo tenía en brazos,
Quien bajó del cielo en su glorioso día,
Pues vino en busca del pecador ingrato.

¡Oh Dios!, concede a la responsable madre
La suficiente fuerza y tu clara luz,
Para que conduzca a su niño, oh Padre,
Por vías de amor, verdad y rectitud.

Felicitación a una madre especial

Para una madre tan buena
Cuyo nombre es Emelina,
En forma dulce y amena
Mi alma para ella almacena
Amor de fuente divina.

Y hoy, de las Madres el Día,
La felicito de veras,
A ella, la esposa mía,
Dios te dé mucha alegría
Y un sin fin de primaveras.

De tu esposo que te ama
Y que siempre te amará;
Y que con ansias te llama
Para que seas la flama
De un amor que no se irá.

Entonces, mi amada esposa,
En este Día de Madre,
Por cada hijo una rosa
Te doy, oh mujer hermosa,
Yo, de tus hijos el padre.

Pensamientos para la madre

1. Para una madre tan linda
   Como la que tengo yo,
   Le ofrezco mi amor y vida
   Y mi entero corazón.
   Sé feliz en este día,
   Buena madre de mi ser;
   Del cielo, paz y alegría,
   Hoy te vengo a ofrecer.

2. En el cielo las estrellas
   Brillan con resplandor,
   Pero tú, madre, en mi pecho

Tienes un nido de amor.
En el día de las Madres
Yo te vengo a saludar,
Y las flores más hermosas
Te las quiero regalar.

3. Las flores dan su aroma,
Las estrellas, su fulgor;
El manantial de sus aguas,
Yo a ti, madre, doy mi amor.

4. En este Día de las Madres
Va mi felicitación
Para la madre querida
De mi corazón.

DIA DEL PADRE

Pensamientos para el padre

1. En el Día de los Padres
   Me acerco a ti, padre mío;
   Para desearte ricos dones del cielo
   Y cosas bellas de la tierra.

2. A Dios le doy gracias
   Por el padre bueno que me dio.
   Papá: te deseo felicidad
   En este día y siempre.

3. ¡Qué bueno es tener un papá como tú!
   Eres una bendición grande en mi vida.
   Te felicito y que Dios te guarde.

DIA DEL NIÑO

La oración de un niño

Con pasos inciertos,
Con trémula voz,
Mis ojos abiertos
Te buscan, buen Dios,
Pues quieren mirarte
Con ansias, con fe;
Y a ti adorarte.
Tú me amas; lo sé.

En nombre de Cristo
Me acerco yo a ti;
Tu amor me ha provisto
Cuidados aquí.
Por eso te alabo,
Mi buen Salvador;
Empiezo y no acabo
De darte loor.

Yo quiero, obediente,
Tus huellas seguir;
Y a toda la gente
Las nuevas decir
Que Cristo nos ama
Con célico amor,
Y espera y llama
Al vil pecador.

Soy niño pequeño
Y anhelo crecer,
Por eso me empeño
En jugar y correr.
También mi deseo
Es siempre estudiar;
La Biblia —yo creo—
Me puede ayudar.

Las gracias te doy
Por todo, mi Dios;
Contigo yo estoy,
Y unidos los dos.
La vida me diste
Y padres también;
No debo estar triste
Pues todo va bien.

Cuando hombre ya sea
Te quiero servir;
Que el mundo en mí vea
Cristiano vivir.
Mas hoy, como niño,
Esta es mi oración;
Con fe y con cariño
De mi corazón.

¿Has visto el rostro de un niño?

¿Quién no ha visto el rostro de un niño?
¿Quién no sabe lo que es la niñez?
Todos deben brindarle cariño,
Comprensión y cuidado a la vez.

Todo niño es precioso, no importa
Si es oscuro el color de su piel;
Su edad, aun pequeña y corta,
Es capullo de lindo vergel.

¿Qué sería sin niños la vida?
¿Sin la gracia del rostro infantil?
Fuera un cielo sin luz encendida
O jardín sin las rosas de abril.

En el rostro del niño se mira
La inocencia de un bello esplendor,
Y al verlo, el alma se inspira
En afectos de prístino amor.

La niñez

No hay nada que sea tan dulce y tan bello,
Tan lleno de gracia, ternura y solaz,
Como una niñita de suelto cabello,
De ojos vivaces y nítida faz.
La flor más hermosa no tiene el encanto
De una sonrisa de boca infantil;
Lo único que hay que se aproxime tanto
Es un muchachito radiante y sutil.

Como un buen muchacho no hay nada en el mundo,
Fornido y amable, valiente y veraz;
Travieso y ruidoso, leal sin segundo,
Que evita la guerra y busca la paz.
Un niño que tiene de ángel, de santo,
Que aun siendo pequeño ya sabe amar.
Sólo hay un ser que se le parece tanto,
Y es una niñita, de dulce mirar.

PENSAMIENTOS POSTUMOS

Palabras de despedida

Déjame, hermana, que en estos momentos
En que aquí estamos para decirte adiós,
Me acerque a ti de nuevo con mis sentimientos
Ya que no podemos dialogar los dos.

Hoy damos a tu cuerpo honrosa sepultura,
Hoy vuelves a la tierra, la que te vio nacer;
Terminaste la jornada, que a veces fue muy dura;
Lo que sufriste aquí ya es cosa del ayer.

Tú fuiste un libro humano de hermoso contenido,
Tus días fueron páginas que yo supe leer,
Y el último capítulo, que ya está concluido,
Se abre allá con Cristo en un nuevo amanecer.

Aquí, pues, te dejamos como semilla santa,
Se cumple la sentencia que el polvo al polvo va;
Pero el Señor un día te hará brotar cual planta
Y en los celestes predios cual flor él te tendrá.

Mil gracias, Jesusita, porque tú fuiste buena;
Amiga, hermana en Cristo, mujer muy servicial.
Llevaste el consuelo al que estaba en pena
Y con los tuyos fuiste madre y esposa leal.

Me diste tu amistad, y yo te lo agradezco,
Y fue mi privilegio de ti yo ser pastor.
Y porque me inspiraste es que hoy a Dios me ofrezco,
Para seguir tu ejemplo de consagración y amor.

Y al despedirte hoy, guardamos la esperanza
De que esto es momentáneo, y un día te veremos:
Cuando resucitados cantemos la alabanza
A Cristo en quien confiaste, Jesús, en quien creemos.

Descanse, pues, tu cuerpo en este camposanto,
Tu espíritu ya está en el seno del Señor.
Todo ya pasó: dolor, pesar y llanto,
Por fe ya divisamos la patria de esplendor.

Pétalos póstumos de amistad

Mi amado hermano Jacinto,
Venimos con mucho amor
Y en el nombre del Señor,
A dejar tu cuerpo extinto
En este calmo recinto.

No te decimos "Adiós",
Pues no es final despedida;
Tú has entrado a mejor vida,
Al Paraíso de Dios,
Pues fuiste de Cristo en pos.

Tu fiel esposa aquí está,
Tus cuatro hijos también;
De ellos, tú fuiste sostén,
Como árbol que fruto da,
Pero. . . que al fin se les va.

Porque es que Dios te llamó
A sus mansiones de gloria;
Fue tu vida una victoria
En que la mano se vio
Del Señor que te salvó.

Y nos dejas el aroma
De tu hermoso testimonio,
Pues tú venciste al demonio,
Al diablo que usurpa y toma
La planta que en flor se asoma.

Hermano Jacinto, fuiste
Hombre bueno y generoso;
Con los tuyos, cariñoso,

Y siempre tu amor le diste,
Al que en penas tú le viste.

A tu esposa y fiel Carlota
Diste apoyo inseparable;
Y fuiste un padre adorable
A tus hijos: bella nota,
Que del amor nace y brota.

Ya no oíremos tu voz,
Ya no veremos tu rostro
Porque tú ya estás en otro
Lugar, que es el de Dios. . .
Pero vamos de ti en pos.

Entonces, Jacinto, te digo
Que te amé de corazón.
Tú me fuiste bendición
Como el pan que da el trigo.
Adiós, mi hermano y amigo.

FIN Y COMIENZO DEL AÑO

Año nuevo

¿Y estás a punto de darme, Señor,
Otro año nuevo a mí?
Entonces ayúdame a vivirlo en amor,
Y emplearlo todo para ti.

Mi aliento vital, mi fuerza también,
Y mi comida para cada día
Proceden de ti, la Fuente del bien,
Por eso te sirvo con alegría.

No sé lo que tiene almacenado
Para mí este año que empieza a nacer;
Tan sólo deseo que seas mi Amado,
Más en lo presente de lo que fuiste ayer.

Resuelvo, Señor, no importa el precio,
Servirte sin nada en el mundo temer.
Quiero por tu gracia mostrarte mi aprecio
En este Año Nuevo que me has hecho ver.

Sigue adelante... no temas... mira arriba

¡Otro año! La senda futura escondida está,
Y en ella las sombras parecen caer.
¡Prosigue!, una luz ante ti brillando va,
Cada vez más hacia el perfecto amanecer.

¡Otro año!, los días más malos son,
Oscuras amenazas envía Satanás.
¡No temas!, tu Dios expresa segura voz:
"¡Contigo yo estoy por siempre jamás!"

¡Otro año! Esperamos todos con ansiedad.
Ya es tarde, la medianoche se acerca ya.
¡Mira arriba!, el día de salvación trae claridad;
El rostro del Señor este año veamos quizá.

El año viejo

Año viejo, ya te fuiste
Para nunca más volver;
Y en el tiempo nos hiciste
Múltiples cosas tener.

Experiencias dulces, buenas,
De agradable sensación;
Y también dolor y penas
Con su llanto de aflicción.

Eso y más nos prodigaste
Mientras tu viaje duró,
Así lento nos llevaste
Sobre el tiempo que pasó.

Año viejo, ya tus meses
Nunca, nunca volverán;
Sin embargo, permaneces,
Tus recuerdos no se irán.

El año nuevo

Año Nuevo, ¡Bienvenido!
Seas hoy en tu venir;
El año viejo se ha ido,
Haznos gozar y reír.

Llegas cargado y feliz
Con mil sorpresas al hombro;
Y tú produces en mí
Gozo, esperanza y asombro.

En tus horas y en tus días,
En tus meses y semanas;
Vé derramando alegrías
Como lluvias soberanas.

Sé el árbol cuyo fruto
Más sabroso es la paz;
Como divino atributo
De la sombra que nos .das.

Oración de año nuevo

Por tu gracia, oh Dios, otro año me das;
Seguiré adelante sin mirar hacia atrás.
En el tiempo yo soy el mortal peregrino
Que en su ruta de fe va buscando el camino
Que le lleve a la vida, a la eterna verdad,
Porque esa es mi meta: la felicidad.

Pero tiemblo, mi Dios, porque débil yo soy,
Y en veces confuso e inquieto estoy,
Y al mirar este mundo siento un hondo pesar
Porque veo a la gente en continuo pecar,
Y su fin es la muerte y el eterno horror
Del infierno de fuego do no hay fe ni amor.

Qué encierra el futuro no lo puedo saber,
Pero tú sí ya sabes lo que va a acontecer:
En tus manos las cosas y los seres están.
Tú a todos los creaste y a ti volverán.
En el tiempo, la tierra, en el cielo lejano
Reinas tú, oh Señor, con poder soberano.

En los días de este año yo iré tembloroso
Con mis pasos inciertos, y muy cauteloso,
Pues sin duda en la senda escollos habrá
Y no siempre el triunfo muy fácil vendrá.
Pero yo el amparo y tu amor buscaré,
Y en tus firmes promesas mi ser anclaré.

Tu criatura yo soy en tu gran Providencia.
Brote luz de lo Alto en mi débil conciencia,
Y haz que en todo conflicto siempre pueda triunfar,
Y que, airoso, a la cumbre logre un día llegar.

Que este año, mi Dios, tu poder more en mí
Y te adore y te sirva con amor sólo a ti.

Como fiel instrumento en tus manos de amor
Lleve yo tu consuelo al que está en su dolor;
Y al que vague en tinieblas yo le muestre la luz
De quien vino a salvarnos, el divino Jesús.
Dame un año feliz caminando por fe
Y que todos los días en tu gracia yo esté.

Una reunión familiar
de celebración de fin de año

EXPLICACION. *La familia Jiménez, compuesta por el padre, la madre, dos hijos y dos hijas, son miembros de la iglesia. Asisten regularmente a los servicios religiosos y cada uno de ellos colabora desempeñando algún cargo. Es la noche del 31 de diciembre aquel año. Previamente, se habían puesto de acuerdo para como familia tener una cena en la casa y despedir así el año viejo y recibir el año nuevo. En un ambiente festivo, los seis miembros de esta familia están sentados a la mesa, para cenar.*

DON BENJAMIN.— *(Tal es el nombre del padre.)* Estaba anticipando con emoción esta celebración familiar de fin de año. Pues bien, la mesa se ve muy bien preparada y el olor de la comida me está abriendo el apetito. Pero, antes que todo, y tal como es nuestra costumbre, vamos a dar gracias a Dios por los alimentos. Oremos. *(Inclinan la cabeza y oran.)*

Padre celestial, te agradecemos que nos has permitido vivir todos los días de este año que está por terminar. Gracias por la salud, el trabajo y los alimentos que nos das. Y también por nuestra iglesia, nuestro pastor y todos los hermanos de la congregación. Bendice estas horas de nuestra reunión familiar. Y yo, Padre santo, gracias te doy por mi esposa y por mis cuatro hijos. En el nombre de Jesús, Amén.

DOÑA ESPERANZA.— *(Así se llama la madre.)* Ahora, pues, mi querida familia, a comer se ha dicho. Y sabes, Benjamín, Rita *(es la hija menor, de 15 años de edad)* preparó la ensalada y cocinó el arroz. Me parece que será una buena cocinera.

CARLOS.— *(El hermano mayor, de 22 años.)* Pues sin duda ella será la primera en conseguir marido, porque la mujer que no sabe cocinar ni piense que encontrará esposo.

MANUEL.— *(El otro hermano, de 20 años.)* Tiene razón Carlos, porque lo que soy yo me casaré con la mejor cocinera del mundo.

PERLA.— *(La otra hermana, de 18 años.)* ¡Ah, estos hombres!, sólo en la comida piensan, y que la pobre mujer se la pase día y noche cocinando para agrandarles la panza.

DOÑA ESPERANZA.— Bueno, ¡basta ya!, que sin pensarlo las bromitas se vuelven cada vez más pesadas, y después todos terminamos argumentando.

DON BENJAMIN.— Pero, ¡qué rica está la carne! Te felicito, Esperanza. Por nada en el mundo me divorciaría de ti.

DOÑA ESPERANZA.— Pasando a otra cosa, ¿qué les parece si después de comer nos sentamos en la sala de estar, recapitulamos un poco el transcurso del año y luego cada uno dice cuál será su resolución para el nuevo año?

DON BENJAMIN.— Me parece una excelente idea. Y esto concuerda con una inquietud que hay en mi corazón. El sermón del hermano pastor el domingo pasado me conmovió. Especialmente cuando dijo que imitáramos el ejemplo del caudillo del pueblo de Israel, Josué, cuando desafió al pueblo diciéndole: "Escogeos hoy a quien sirváis, . . . que yo y mi casa serviremos a Jehová."

DOÑA ESPERANZA.— Sí, hagamos esto. Pero, muchachos, ninguno se va a la cama a dormir sin antes haber levantado la mesa, lavado los trastos y dejado todo en orden. De por sí, mañana primero de enero es día feriado, y no tenemos que levantarnos muy temprano.

(La familia termina de comer y se dirigen a la sala. Allí, bien animados, conversan.)

DON BENJAMIN.— Permítanme aprovechar esta oportunidad en que estamos juntos y de buen ánimo, para decirles que yo vengo observando en los últimos meses que ustedes mis hijos como que están perdiendo interés en las cosas de la iglesia y en su propia vida espiritual de cristianos. Hemos sido una familia unida, alegre y temerosa de Dios. La influencia de la iglesia sobre nuestro hogar ha sido muy saludable. Ahora ustedes ya son jóvenes y señoritas. Me satisface que los tres mayores cursan estudios en la universidad, y que Rita ya está por terminar su escuela para ingresar en la Preparatoria. Quiero decirles, sin embargo, que es bueno tener amigos, pero uno debe saber escoger a sus amistades, porque ellas pueden influir para bien o para mal. No los estoy recriminando, hijos, sólo es una palabra de advertencia y un consejo muy a tiempo. La moda de los jóvenes de estos tiempos es de ingerir bebidas embriagantes, andar en fiestas mundanas y tomar drogas. También se practica lo que llaman el sexo libre y, en una palabra, el ambiente moderno está infisionado de vicios, de enfermedades sexuales y de un sin fin de peligros más.

PERLA.— Tienes razón, papá. Y aprecio tus palabras. Yo misma me vengo dando cuenta de que no me siento tan feliz ni tan ferviente como antes. Me he visto, en la universidad, en situaciones un poco embarazosas. Y si no fuera por las enseñanzas y el ejemplo que ustedes como padres cristianos nos dan, tal vez ya habría sucumbido a las tentaciones que nos asedian.

DOÑA ESPERANZA.— Me da satisfacción oírte hablar así, Perla. ¿Y por qué de una vez no nos dices cuál será tu resolución para el nuevo año?

PERLA.— Pues sí, anoche antes de dormir estaba leyendo la Biblia en Eclesiastés capítulo 12, donde se nos dice: "Acuérdate de tu Creador en los días de tu juventud . . ." Y Dios tocó mi corazón. Entonces, esta es mi resolución: Con la ayuda de Dios leeré la Biblia y oraré al Señor todos los días. También procuraré no faltar los domingos a los cultos de nuestra iglesia.

CARLOS.— Bravo, hermana. Has dicho bien.

RITA.— Bueno, ¿y cuál es tu resolución, Carlos?

CARLOS.— Mi resolución es que voy a dedicarme con mayor seriedad y diligencia a mis estudios universitarios, para llegar a ser un profesional honesto y exitoso como lo es mi padre. Y lograré alcanzar esta meta, por supuesto, con la ayuda del Señor Jesucristo.

MANUEL.— No hay duda que el Espíritu Santo está trabajando en nosotros como una familia cristiana que somos. Yo no me he sentido bien interiormente, desde aquella noche cuando asistí a una fiesta de cumpleaños de uno de mis compañeros de clase. Allí hubo baile y bebidas y, perdónenme padres, pero yo... por la primera vez probé el licor. Me arrepiento de haberlo hecho y le pido perdón a Dios. Por tanto, mi resolución es esta: evitaré toda asociación social que pueda perjudicarme; en cambio, me entregaré más a las cosas de Dios y a colaborar con los jóvenes de mi iglesia. Que Dios me ayude.

RITA.— Bueno, parece que ahora es mi turno. Como ustedes saben, yo soy la menor de la familia y estoy en una edad muy susceptible a las influencias del mundo. Pero mis padres y mi maestra de la escuela dominical han sido un buen ejemplo para mí y me estimulan a vivir una vida cristiana saludable. Mi propósito para el nuevo año es ser fiel a Jesucristo, dar buen testimonio ante mis compañeros en la escuela, y conservarme pura para el día cuando Dios me dé por esposa del hombre a quien amaré de todo corazón.

DON BENJAMIN.— Ya presentía yo que hoy íbamos a tener una noche feliz y exitosa. ¡A Dios sea la gloria! Cuán precioso es que en estos tiempos cuando tantos hogares se desmoronan, el nuestro, por la gracia del Señor, está en pie y sobre una base sólida. Después de haberlos oído a ustedes, mis hijos, ahora yo, como el padre y el jefe de esta familia, quiero hacer mía la resolución del adalid Josué, y es la siguiente:

"Yo y mi casa, es decir, mi esposa y mis cuatro hijos, serviremos a Jehová."

DOÑA ESPERANZA.— La resolución de mi esposo es la mía también. Yo sugiero que, antes de cerrar nuestra reunión de familia con una oración, cantemos el himno, "Jesús, yo he prometido, servirte con amor".

(Todos cantan, y luego inclinan la cabeza en actitud de oración. Se baja el telón.)

NAVIDAD

¡Otra vez la Navidad!

Ha llegado de nuevo la fiesta
Que nos gusta con fe celebrar;
Cuando alegre se ve la floresta
Y aun Natura con gozo se apresta
A los grandes eventos cantar.

En la atmósfera un viento se agita
De entusiasmo que cunde doquier;
Y se siente una paz infinita,
Y una gracia del cielo bendita
Como lluvia que empieza a caer.

¿Qué motiva el suspenso del mundo?
¿Por qué todo parece brillar?
¿Y un anhelo sublime y profundo
Neutraliza al dolor tremebundo
Y nos hace la gloria admirar?

Es que llega feliz y sonriente,
En las alas de dulce amistad,
El mensaje de Dios complaciente
Que le anuncia a su pueblo creyente:
"Ha llegado otra vez Navidad."

Esta fiesta celebra el evento
Que es el eje de toda la historia,
De Jesús el sin par nacimiento
Que es de Dios misterioso portento
Y milagro estupendo de gloria.

Y es que Cristo nació en este mundo
Para ser nuestro gran Salvador;
Para guiar al perdido errabundo
Por sendero de fruto fecundo
De justicia, de paz y de amor.

Los pastores corrieron con gozo
A Belén a adorar a Jesús;
Y al mirarlo, con gran alborozo,
Fue para ellos momento glorioso
Ver al Niño radiante de luz.

Hombres sabios llegaron de Oriente
En su búsqueda ansiosa de fe;
Cada uno ofreció su presente
De oro y mirra e incienso ascendente
Ante el Niño que Rey siempre fue.

Y los ángeles himnos cantaron
De alabanza al Mesías de Dios;
"Gloria al Padre", las notas sonaron,
"Y en la tierra haya paz", proclamaron
Con potente y melódica voz.

Noche grata fue aquella en que vino
De los cielos al mundo Jesús;
El promete cambiar el destino
De los hombres, y ser el camino
De la vida, al través de su cruz.

Pecador, que en tinieblas transitas,
Porque ignoras la paz del Señor;
Ven y bebe en las aguas benditas,
Tú que sabes que bien necesitas
El auxilio de un buen Redentor.

¡Navidad! ¡Oh preciosa ocurrencia!
¡Navidad! ¡Cristo un día nació!
¡Navidad! ¡Celestial refulgencia!
¡Navidad! ¡En Jesús la presencia
De Jehová se hizo real porque amó!

Cuando mis ojos ven la estrella

Cuando mis ojos ven la estrella,
La que a los magos guió hasta Belén;

Cuando en mi camino cae la luz de ella
Señalándome la huella
Hacia el Niño de paz y bien.

Así yo, cual los magos de antaño
Al ver su estrella me regocijo;
Me doy cuenta que no hubo engaño,
Que no sufrí de terrible daño,
En mi búsqueda del divino Hijo.

Porque la luz que del cielo viene,
Porque el impulso que de mi alma brota,
Poder y gracia en mis pasos tiene
Que en fe y amor y lealtad deviene
Y une los tiestos de mi vida rota.

Y así yo sigo por mi camino, firme,
Porque ya vi donde estaba el Niño,
De quien yo quiero con piedad asirme
Para en sus manos de amor pulirme
Y arroparlo con mi cariño.

¿No quieres tú que mis versos lees
Ver esa estrella que a Belén te guía?
Para que al Niño, viendo, te recrees
Y todo el bien que tú desees
En él lo obtengas con alegría?

Ven, pues a Cristo, con tu fe sincera,
En este instante en que la estrella alumbra
Sobre tu alma con luz certera;
Y así tendrás la verdadera
Dicha sin sombras y sin penumbra.

El mago que llegó tarde a Belén

Por fin llegué, Señor, después de tantos años
Cuando buscando anduve donde naciste tú,
Pero en mi viaje tuve que reparar mil daños
Para el que estaba pobre, débil y sin salud.

Pensé hallar a un niño viviendo en un palacio,
Rodeado de sirvientes, de flores y de luz,
Mas he aquí que estás sufriendo en el cadalzo
De una muerte infame sobre pesada cruz.

¿Qué puedo yo ofrecerte si todo lo he gastado?
Por fin llegué hasta ti pero con vacías manos;
Mas no he de lamentarme, pues ante ti, postrado,
Te entrego hoy mi vida, mis sentimientos sanos.

Tú no eres ya el Niño del pueblo de Belén,
Tú eres de los hombres el santo Redentor;
Viniste a este mundo a darnos el gran bien
De salvación eterna y de tu excelso amor.

El espíritu de Navidad

Que los aires navideños
De brisas frescas y puras,
Bañen tus nobles empeños
De celestiales alturas;
Y a regiones de blancuras
En alas te lleven lejos,
A Belén, do los reflejos,
De gloria inmarcesible,
Hacen al Niño visible
Ante los ojos perplejos.

Y frente al Niño divino
De rostro bello y radiante,
Tú encontrarás el camino
Hacia el cielo fulgurante.
El es la vida, la luz
Del pesebre hasta la cruz;
El es amor, la verdad,
La gloriosa Navidad;
El es el Niño Jesús,
El Dios de eternidad.

Angeles de albo ropaje,
Pastores de almas buenas,
Timbrad celestes cordajes
Que ahuyenten llantos y penas;
Cantad dulces melodías
En noches negras y frías
Para el dolor disipar,
Pues en Belén ya nació
El Niño que Dios nos dio,
Quien vino el mundo a salvar.

Nuevo día hoy esclarece
De esperanza y salvación,
Para el hombre que perece
En su pobre condición;
Nadie debe más sufrir
Ni quejarse ni gemir,
Pues se anuncia grata nueva
De salud y libertad
Para aquel que en su alma lleva
El estigma de orfandad.

Oh cielos, cantad victoria,
Oh tierra, feliz está,
Ha descendido la gloria
Del poderoso Jehová.
En la aldea de Belén
Yace nuestro sumo bien,
Jesucristo, Rey de paz,
Encarnado Emanuel,
En su trono de solaz
Reinará por siempre él.

Estrofitas navideñas

Otra vez la Navidad
Nos trae dulce alegría;
Y a usted felicidad
Le deseo en este día.

En Belén Jesús nació
Y nos trajo la esperanza,
Y a usted le envío yo
Dicha, paz y bienandanza.

"Gloria a Dios en las alturas,
Y en la tierra gozo y paz";
Navidad con mil venturas
Dios le dé, y mucho más.

Una feliz Navidad
Tenga usted con su familia,
Dios en su inmensa bondad
Nos circunda y nos auxilia.

Que los aires navideños
Lleven frescura a su alma;
Y hoy se cumplan sus empeños
Con gran bendición y calma.

Un himno de amor cantaron
Los ángeles allá en Belén;
Y a los hombres anunciaron
El nacimiento del Bien.
Una feliz Navidad
Deseo a usted también.

Con todo mi corazón
Le dedico en este día
Un pensamiento de amor
Que le produzca alegría.

Porque Jesús ha nacido
Para ser el Salvador,
Puedo desearle al amigo:
Gozo, paz y bendición.

Ven tú a Belén

Llega de nuevo vestida de galas
La fiesta feliz de la Navidad,

Y trae sonriente en sus blancas alas
El fiel mensaje de felicidad.

Ella nos habla de aquel nacimiento
De un niño tierno y bello en Belén,
Que fue del Señor, augusto portento,
El don inefable de sumo bien.

Fue noche de paz, de gloria y amor,
La noche en que vino al mundo Jesús;
El es de los hombres el Salvador,
De Dios la verdad, del mundo la luz.

Rudos pastores cuidaban rebaños
En las colinas verdosas con fe;
Y contemplaban los cielos extraños
Cual lienzos pulidos de brillantez.

Ellos, de pronto, un ángel miraron
Y, absortos, pudieron su voz oír,
Y llenos de gozo esto escucharon:
"Jesús ha nacido; no más sufrir."

Tres sabios también de lejos llegaron
En pos de la estrella de clara luz,
Y cuando a Belén por fin arribaron
Le dieron culto al niñito Jesús.

¿Por qué no vas tú humilde a Belén,
En viaje de fe, piedad y amor?
¿Por qué a Jesús no adoras también
Si él vino a salvar al vil pecador?

Permite al Señor nacer hoy en ti,
Y en vez de pesebre dale tu ser;
Feliz Navidad tendrás sólo así
Si ahora puedes en Cristo creer.

Mi felicitación navideña

Otra vez la Navidad
Con su alegre resplandor,

76

Ha llegado con amor
A toda la cristiandad.
¡Oh qué gran felicidad
Siento yo en mi corazón!
Y tengo justa razón,
Pues el Niño de Belén
Al nacer me trajo el bien
De mi eterna salvación.

Es muy hermoso pensar
En el regalo de Dios;
Oír del ángel la voz
Que nos viene a proclamar:
"Deje el hombre de llorar
Por su desgracia tan cruel,
Pues ha nacido Emanuel
Para el mundo redimir,
Y ahora podrá vivir
El que crea sólo en él."

Celebremos dignamente
La venida de Jesús,
Porque él nos trajo la luz
Que alumbra a toda la gente,
Y con gozo reverente
Acerquémonos con fe
Al pesebre do se ve
En forma humana la gloria.
Esta es la fúlgida historia
Que de niño yo escuché.

Al que lea mi poesía
Y se ponga a meditar,
Yo le puedo asegurar
Que muy profunda alegría
Sentirá en este día;
Porque el gozo verdadero,
Del cielo rico venero,
Lo tiene el hombre creyente,
El que siempre complaciente
Sirve a Cristo muy sincero.

Te felicito, mi amigo;
Te felicito, mi hermano;
Y al estrecharte la mano
Alegre otra vez te digo:
Te felicito, mi amigo.
Quiera Dios que el otro año
Sin dolor, sin desengaño,
Una nueva Navidad
Nos traiga felicidad,
Nos libre de todo daño.

Historia de la Navidad

Una joven risueña y hermosa
Se encontraba feliz en su hogar,
Era dulce, gentil y hacendosa,
Y su alma creyente y piadosa
Adoraba a Dios sin cesar.

Era virgen humilde y modesta,
Temerosa del Dios de Abraham;
Mujer santa que estuvo dispuesta
A aceptar del Señor la propuesta
De en su seno al Mesías llevar.

Un arcángel de gloria vestido,
Mensajero de amor y de luz,
Fue en el cielo por Dios escogido
Para hacer el anuncio florido
De que al mundo vendría Jesús.

Y el arcángel, un día de tantos,
Al hogar de María llegó,
Y con ecos de célicos cantos
Que disipan tristezas y llantos,
La gratísima nueva le dio:

"Eres tú, oh María, bendita,
Pues contigo es la gracia de Dios;

El ha visto tu alma contrita
Y por eso amoroso te invita
A escuchar obediente su voz.

"De Jesús tú la madre serás:
El que viene a salvar a Israel;
Es el Hijo de Dios, Rey de paz,
En tu seno tú, pues, le tendrás;
Llamaráse su nombre Emanuel."

Y María turbóse al instante.
¿Cómo esto podría pasar?
Es que ella se hallaba ignorante
De que Dios llevaría adelante
Su programa de al mundo salvar.

El Espíritu Santo vendrá
Sobre ti, virgen noble; así es.
Y la sombra del Alto Jehová
La virtud y el poder te dará
De ser virgen y madre a la vez.

Y María sumisa aceptó
Del Señor su formal voluntad,
Y a su tiempo debido nació
Ese Infante que el cielo nos dio
Para ser nuestra luz y verdad.

Fue en la aldea rural de Belén
Donde hizo su entrada Jesús,
Y nos trajo a los hombres el bien,
Y es de todos la paz y el sostén
Porque él vino a morir en la cruz.

Noche santa fue aquella en que el Rey
De los cielos al mundo bajó;
Noche santa —proclama la grey—
Pues cumplióse del Padre la ley
Del amor con que a todos amó.

Y los ángeles himnos cantaron
De alabanza, de gozo y de paz;

Los pastores también se alegraron,
Y corriendo, al pesebre llegaron,
Para ver de aquel Niño la faz.

Hombres sabios del místico Oriente
Emprendieron su viaje de fe,
Tras la estrella de luz reluciente;
Y arribaron con júbilo ardiente
Al pesebre do el Niño se ve.

A Belén hoy nosotros marchemos
A dar gracias a Dios por su amor,
Y la gloria a Jesús tributemos
Y el festín navideño cantemos,
Pues nació nuestro Rey y Señor.

El significado de la Navidad

(Un sencillo drama navideño representado por una clase de primarios de la escuela bíblica dominical. La maestra y nueve alumnos, de edades entre 9 y 12 años. El drama se desarrolla en un simulado cuarto de clase.)

LA MAESTRA.— Como todos los domingos, vamos a comenzar nuestra clase de la escuela dominical diciendo una oración. Inclinen la cabeza, cierren los ojos y oremos. Padre celestial: te damos gracias por darnos una nueva oportunidad de venir a tu santo templo y estudiar un poco más de tu Palabra. Y ya está muy cerca la fiesta de la Navidad. Ayúdanos a que hagamos una celebración digna de esta festividad cristiana. En el nombre de Jesús, Amén.

LOS NIÑOS.— Amén.

LA MAESTRA.— Como les dije el domingo antepasado, el Director de la escuela dominical nos pidió que nosotros, como la clase de los primarios, preparásemos un número para que lo representáramos en el programa de Navidad que nuestra iglesia va a tener el domingo 25 de diciembre, es decir, de ahora a un mes. Y les pedí que cada uno de ustedes, con la ayuda de

sus padres, escribiera ur
preguntas: ¿Qué signifi(
celebrar la Navidad?
Navidad? Vamos, pue
respuesta a la prin
respondieron a la s(
lugar, y los que re
más allá. Lean cl

ALUMNO I
miento del niñ(

ALUMNO DOS.-
demostró su amor al habern(
él fuera el Salvador de los homb

ALUMNO TRES.— Y para mí, la Navi_
Dios vio a un mundo triste y perdido, y entonces él qu_
gozo y salvación. Es como leemos en San Juan 3:16, "Porqu_
tal manera amó Dios al mundo, que ha dado a su Hijo
unigénito, para que todo aquel que en él cree no se pierda, mas
tenga vida eterna."

LA MAESTRA.— Muy bien, niños. Los felicito. Y ahora
escuchemos al siguiente grupo.

ALUMNO CUATRO.— La Navidad la debemos celebrar
con gozo y con gratitud al Señor.

ALUMNO CINCO.— Hay muchos individuos que celebran la Navidad con fiestas mundanas. Ellos ni siquiera
piensan en el significado verdadero de la Navidad. Más bien la
toman como un pretexto para hacer cosas que no debieran
hacer. A mí me gusta cómo celebramos la Navidad en nuestra
iglesia y en nuestro hogar. Cantamos himnos de Navidad,
adoramos a Jesucristo, y nos damos regalos unos a otros.

ALUMNO SEIS.— A mí me parece que como cristianos
que somos, debemos celebrar la Navidad así como lo estamos
haciendo, presentando un bonito programa en el templo,
invitando a otros a venir aquí y escuchando atentamente el
sermón que predica el pastor de la iglesia.

\— Muy buenas respuestas, niños. Tam-
felicito. Ahora escuchemos al tercer grupo.

SIETE.— Lo que a mí más me ha gustado de la
que me dan regalos. Pero esta pregunta me ha
ar que si la Navidad es el cumpleaños, por así
el Niño Jesús, que es a él a quien le debiéramos
omo un homenaje a su nacimiento. Lo que yo pienso
s que de los regalos que reciba en mi hogar, algunos de
se los voy a dar a dos amigos míos, vecinos de mi casa.
os son más pobres que nosotros y nos gusta jugar juntos.

ALUMNO OCHO.— Yo tengo una alcancía en la que
siempre que puedo echo monedas allí. Con ese dinero, que
suma a una bonita cantidad, en vez de comprarme más
juguetes que no necesito, voy a dar una ofrenda especial a mi
iglesia, para que se continúe predicando y haciendo el bien en
nuestra comunidad.

ALUMNO NUEVE.— Yo, realmente, no tengo cosas
materiales que regalarle a Jesús, pero lo que pienso hacer es
dedicarme yo mismo, es decir, mi vida, al Señor Jesucristo. El
me salvó, y lo mejor que puedo hacer es servirle y adorarle todos
los días de mi vida.

LA MAESTRA.— Niños, me siento muy complacida. El
ensayo ha resultado muy satisfactorio. Por favor, no falten a
nuestro programa de Navidad. Vengan listos. El número de
nuestra clase sin lugar a dudas va a ser de mucha bendición a
cuantos asistan a nuestra celebración de la Navidad.

Y ahora, niños, para cerrar nuestra participación en el
programa, cantemos todos:

(*Todos cantan con la música del himno "Noche de Paz,
Noche de Amor", las siguientes palabras:*)

La Navidad, La Navidad:
Es la fiesta del amor.
Cuando en Belén vino la Claridad,
La salvación y la eterna Verdad;
Porque nació el Salvador,
Cristo Jesús, el Señor.

RESURRECCION Y SEGUNDA VENIDA DEL SEÑOR

La resurrección de Jesucristo

Un viernes santo murió
En los brazos de una cruz,
El santo y dulce Jesús
Quien al mundo tanto amó.
Por ti, pecador, sufrió
Para librarte del mal,
Pues con su muerte triunfal,
Del diablo venció el poder,
Y así tú podrás tener
Perdón y dicha eternal.

Sepultado fue en la tarde
En sepulcro de un amigo,
Casi sin ningún testigo
Que hiciera llanto o alarde.
Pero sí el averno arde
De malévola alegría
Pensando que en ese día
Se eclipsó el cristianismo,
Pero más bien fue el abismo
La tumba de gente impía.

Porque al domingo siguiente
Al no más salir el sol,
Brotó fúlgido arrebol
De aquel sepulcro impotente
Pues el Cristo refulgente,
De la muerte emergió
Victorioso, y cerró
Para el creyente, el infierno,
Cuando con poder eterno
Su cuerpo resucitó.

¡Gloria a Dios! Su Hijo vive
Y por siempre ha de reinar;
El puede ahora salvar
Al que humilde le recibe.
Y al que a él por fe arribe,
Perdonado quedará,
Y la esperanza tendrá
De en gloria ver a Jesús,
Pues de la noche a la luz
Dios le resucitará.

El Señor ha resucitado

De la tumba, victorioso,
El Señor se levantó
Para ser el Rey glorioso
Sobre el pueblo que salvó.

En sepulcro le pusieron
Y le dejaron allí;
Y cabizbajos se fueron
Los discípulos así.

Tiempo triste fue aquél
Cuando muerto el Salvador,
En la tumba de un vergel
Le dejaron con dolor.

Fue la muerte del Amigo,
Del Maestro sin igual,
Mas como el grano de trigo,
En su muerte fue triunfal.

Porque el proceso de muerte
Fue sólo para dar vida;
Del sepulcro frío, inerte,
Brotó una planta florida.

Cristo Jesús está vivo,
El nunca más morirá;

84

Ya no es cadáver cautivo
Sino sol que brillará.

Por los siglos y edades
Su poder y su amor
Esparcirán las verdades
Con fulgente resplandor.

Nuestra fe está fundada
En el Cristo vencedor;
La victoria fue ganada
A la muerte y su terror.

Hoy la gloria tributemos
A Jesús nuestro Señor,
Pues por él al cielo iremos
A vivir en santo amor.

Ven, Señor Jesús

Ven, de nuevo, al mundo, Jesús
Que tu Iglesia anhelosa te espera;
Como carga preciosa de luz
Que nos muestre tu gloria postrera.

Ven, Jesús, sin tardar a la tierra
Que se muere en su negro pecar;
Ya no existe la paz; sólo hay guerra
Que amenaza con todo acabar.

No se mira esperanza en el cielo;
Los ejemplos de amor ya no hay;
Crimen, robo y asalto en el suelo
A cada alma le arrancan un ¡Ay!

La violencia es el pan cotidiano
Y las drogas infectan el ser;
Ya no vemos en nadie a un hermano,
Pues pensamos que un mal nos va a hacer.

¿Qué pasó con las buenas costumbres?
¿Y las normas de bien dónde están?
Apagadas se encuentran las lumbres
De virtudes que no volverán

Los jardines se han vuelto desiertos
De abrojos y espinos sin flor,
Porque el odio ha sembrado de muertos
Nuestros campos sin sol ni verdor.

Ya cambiar nuestro mundo no puede,
Todo lo hace torcido y mal;
Satanás en su empeño no cede,
Su dominio es perverso, infernal.

Pero tú, Salvador Jesucristo,
Nos darás la victoria final;
Ven, mi Dios, que tu pueblo está listo,
Ven y funda tu reino eternal.

Es por esto, Señor, que anhelamos
Tu retorno de gloria y de paz;
Y con férvidas preces oramos,
Que muy pronto veamos tu faz.

El rapto de la Iglesia

En un abrir y en un cerrar de ojos,
En un glorioso y repentino instante,
Cuando se escuche el resonar triunfante
De la trompeta de encendidos rojos.

Cuando el arcángel aparezca y grite
Con estentórea y poderosa voz,
Y se oiga el mando del eterno Dios
Por todo el mundo que su ley admite.

Será el momento de victoria plena,
Cuando los santos que en sus tumbas duermen,
Han de destruir de la muerte el germen,
Resucitando en estupenda escena.

Y revestidos de esplendente gloria,
Con cuerpos nuevos de inmortal pujanza,
Verán cumplida toda su esperanza
De vida eterna y de final victoria.

Porque el Señor, que en las nubes viene,
El rapto entonces de su Iglesia hará,
Y allí en el aire el lugar será
De reunirnos con Jesús conviene.

Y así estaremos para siempre unidos
Con el Maestro que nos ama tanto;
Ya sin dolores, ni clamor, ni llanto,
Sino en deleites de santidad ungidos.

¡Oh cuán glorioso será aquel evento!
En que raptados por Jesús seremos;
Por siempre, entonces, no sufriremos,
El Dios del cielo nos hará el portento.

¡Oh dicha inmensa la de ser cristiano!
Porque sabemos que en la gloria un día,
Arribaremos por la gracia pía
De Jesucristo, santo y soberano.

Fieles, por tanto, en nuestra fe sigamos,
En actitud de expectación gozosa
Que arrebatada habrá de ser la Esposa,
La Iglesia santa a la que mucho amamos.

PASTOR E IGLESIA

Adiós, mi amada Iglesia

Se me hace difícil poder expresar
En estos momentos mi interno sentir;
Y ya que muy lejos de aquí voy a estar
Yo debo deciros que un hondo pesar
Invade a mi ser y me hace sufrir.

Doce años pasaron que no volverán,
El tiempo es el tren que arrastra al ayer;
Los gratos recuerdos en mí quedarán
Y paz y alivio a mi alma darán,
Y una esperanza de pronto volver.

Es lindo el amor que viene de Dios
Que crea el ambiente de un dulce vivir;
Si siempre unidos oímos su voz
Y somos la iglesia que de él va en pos,
Sin duda que el triunfo les va a sonreír.

A todos les amo; yo sé que es así,
Pues sois el rebaño que sigue al pastor.
Es Dios quien me trajo en su gracia aquí
Y el fuego divino prendió él en mí,
Y pude —contento— hacer su labor.

Yo llevo en mi alma leal gratitud
Por vuestro cariño que tierno me fue;
Y quise serviros con fiel prontitud,
Con gran entusiasmo, constancia y salud,
A fin de que fueseis un pueblo de fe.

Llegó, pues, la hora en que debo partir,
Y siento nostalgia en deciros "adiós".
Así son las cosas, entrar y salir,
Y siempre la orden de Cristo cumplir
Y ser obediente al mandato de Dios.

Y ahora, hermanos, unidos estad,
La obra de Cristo valientes haced;
En todas las cosas prudencia mostrad,
La miel del amor a todos llevad,
Y el premio de vida de Dios obtened.

Bodas de Plata pastorales

1. Yo deseo expresar mi sentimiento
   Con palabras sinceras y leales,
   Al reverendo don Adrián González,
   Quien de Dios es muy útil instrumento.

2. Hoy celebra feliz el gran evento,
   De sus Bodas de Plata pastorales;
   Ha cumplido sus sueños e ideales
   De servir con amor todo momento.

3. Demos gracias a Dios por este obrero,
   Que predica y enseña la Palabra,
   Y que ha sido pastor muy tesonero.

4. Ya que impertérrito su obra labra.
   Siga adelante, hermano, en el sendero,
   Y que el Dios del cielo más puertas le abra.

Aniversario de una iglesia

Esta iglesia hoy celebra un año más
De trabajo en la obra del Señor;
Propulsora de la fe y de la paz,
Ella es faro de luz del Dios de amor.

Ya son varios los años de existencia
Los que lleva esta iglesia en su historial;
Su razón poderosa es la presencia
De quien es su Cabeza y es su Ideal.

Fue el Señor quien la puso en este predio
Como centro de mucha bendición;
Y que fuera del Espíritu el medio
De evangélica y fiel proclamación.

Esta iglesia enseña la doctrina
Y enaltece a Jesús como el Señor;
Su misión es urgente y es divina
De ir en busca del hombre pecador.

Al cumplir otro nuevo aniversario
De trabajo y leal compañerismo,
Recordemos al Cristo del Calvario
Que hoy, ayer y por siempre es el mismo.

Cuando él vuelva con gloria por su Iglesia,
Que él nos halle muy unidos y activos,
Realizando la obra que él aprecia
Que es traer libertad a los cautivos.

Sigue siempre adelante, iglesia hermosa,
No quites tu mirada de Jesús;
Y transita por la senda gloriosa
Que te lleva hacia el Reino de la Luz.

Primer Aniversario

Hoy que celebras tu primer aniversario,
Iglesia Bautista "Nueva Jerusalén",
Tu pueblo se reúne aquí en el santuario
Y con júbilo santo y gozo extraordinario
A Dios tributa gracias por su amor y bien.

Hace ya un año que fuiste organizada
Como una nueva iglesia aquí en la ciudad,
Para alumbrar cual faro en noche amenazada,
Y, no obstante, ir en la feliz jornada
De proclamar con fe a Cristo y su verdad.

Naciste muy pequeña y aún no eres grande,
Pero en tu trono reina Jesús el Señor;
Y así como la luz que al avanzar se expande,
Tú harás lo que tu Jefe a hacer te mande
Para irradiar doquiera santidad y amor.

Tú estás organizada; Cristo es la Cabeza;
La Biblia es la Palabra de predicación;
El Espíritu Santo te da fortaleza
Y nuestro Padre Dios te guía con certeza
Hacia la meta digna de superación.

De ti somos los miembros; salvos, perdonados
Por el que dio su vida en una abyecta cruz;
Y de él somos ahora siervos y soldados,
En su poder y gracia bien capacitados
Para anunciar su nombre, que es sustento y luz.

En pleno regocijo venid celebremos,
Hermanos, esta fecha de realización;
Y al Padre, jubilosos, himnos hoy cantemos
Y unidos como iglesia en crecer pensemos
Siendo compañeros en fe y en oración.

Oh iglesia tan amada, yo, pastor, te canto
Con notas armoniosas de leal sentir;
Y con los miembros todos, el mensaje santo
Anunciaremos siempre al que peca tanto,
Quien de su pecado se pueda arrepentir.

Sigue, entonces, firme oh juvenil iglesia;
Predica el evangelio, confianza en Dios ten;
Persiste en la carrera, aunque es lucha recia,
La cual Jesús el Jefe te admira y aprecia,
Y así mereces ser NUEVA JERUSALEN.

SECCION MISCELANEA

Dios

Tú eres eterno, glorioso y bueno,
Todas las cosas por ti existen,
Y en tu potente y sacro seno
Ellas se mueven, y así subsisten.

Difícil es definir tu nombre,
Que en el lenguaje no tiene igual;
Por más que quiera intentarlo el hombre
No alcanzará tan sublime ideal.

En todas partes, oh Dios, tú estás,
Nada se esconde de tu mirar;
A tus criaturas el ser les das
Y a las estrellas haces brillar.

Tú eres justicia, amor, verdad,
En ti no hay sombra de variación;
Tu gloria invade la inmensidad
En cada átomo en vibración.

Por fe el alma se acerca a ti
Buscando alivio a su dolor,
Pues en la vida presente aquí
No hay esperanza más que en tu amor.

Hoy te alabamos, bendito Dios,
Porque eres bueno, paciente y fiel,
Y con humilde, sincera voz,
Te proclamamos Rey, Emanuel.

Buenos días, Señor

Buenos días, Señor, ya la noche pasó;
Tuve un sueño muy grato y al fin desperté;

El descanso fue manto que a mi cuerpo cubrió,
Y hoy empieza otro día; ¿qué traerá?, no lo sé.

Gracias, Padre mi Dios, con amor yo te doy,
Porque he visto de nuevo otro amanecer;
En tus manos seguro y feliz siempre soy,
Con tu ayuda en las luchas victorioso he de ser.

Cada hora de hoy quiero usarla, Señor,
Ocupado en hacer tu eternal voluntad;
De tu rostro derrama el brillante fulgor
Que a mi senda la alumbre con vivaz claridad.

Si escollos encuentro por la vía do voy,
Si la lucha arrecia y no puedo avanzar,
De tu gracia una dosis dame sólo por hoy
Y hazme fuerte en la prueba y contigo triunfar.

Buenos días, Señor, este día comienza
Con la carga de luz que el sol da por doquier;
Ilumina mi mente que en tu Ley siempre piensa;
Si tú vas a mi lado yo no voy a caer.

Buenas noches, Señor

Buenas noches, mi Dios; ya me voy a acostar.
Otro día pasó y lo pude vivir.
Dame un sueño muy grato y un buen descansar,
En tu paz y en tu amor me dispongo a dormir.

Gracias, gracias, mi Padre, por el día de hoy,
Porque tú proveíste a mi hambre, mi sed;
Todavía con fuerzas y salud yo estoy
Y disfruto contento de tu buena merced.

Yo no sé si esta noche tú me quieras llevar
A tu dulce presencia de solaz y de luz;
Y si el sol de mañana ya no logre mirar,
Yo veré extasiado a mi amante Jesús.

Mas si tú me concedes despertar otra vez
Y seguir como ayer en el diario vivir
Yo te pido, Señor, que en tu gracia me des
El enhelo de amar, de creer y servir.

Ora duerma en la noche o vigile en el día,
Ora ande con luz o en tinieblas esté,
De mi fuente interior brotará la alegría
En torrentes copiosos de esperanza y de fe.

Buenas noches, mi Dios, ya el sueño venció;
En el nombre de Cristo, en su nombre, "Amén".
Y así mi oración nocturnal terminó,
Ya mis ojos cerrados hacia afuera no ven.

Hay que hacer el bien

Hay que hacer el bien
A toda hora y en cualquier lugar,
Y no fijarse en quién,
Pues que no es correcto discriminar.

Hay que hacer el bien
Porque siempre y alrededor,
Alguien pide sostén
Para su malestar y su dolor.

Hay que hacer el bien
Al que sufriendo de tristeza está;
Y hay que ayudar también
Al que confuso en su camino va.

Hay que hacer el bien
Aun a aquellos que nos hacen mal;
Son pobres, pues no ven
Que ese camino tiene un fin fatal.

Hay que hacer el bien,
Aunque nos cueste el actuar así;
Alguien nos dice: "Ven,
En mi dolor te necesito a ti."

Hay que hacer el bien
Al enemigo que nos trata cruel,
Y aunque en pago nos den
Ingratitud con sabor de hiel.

Hay que hacer el bien,
Aun cuando no haya recompensa aquí,
Ni aun el parabién
De quien servicio recibió de mí.

Hay que hacer el bien
Porque es la orden del Señor Jesús,
El Niño de Belén
Que trajo al mundo salvación y luz.

Hay que hacer el bien,
Pues ese el fin de la vida es;
Y no mostrar desdén,
Sino altruismo al que triste ves.

Hay que hacer el bien,
Porque sólo así tú feliz serás;
Y al celestial Edén
Con regocijo caminando vas.

Todo pasa y se acaba

Todo pasa y se acaba de este mundo en su faz;
No hay nada que siempre permanezca igual,
Sean tiempos de guerra, sean tiempos de paz;
Todo viene y se acaba, tanto el bien como el mal.

Lo que ocurre en la historia después sombra será,
Hechos grandes y nobles, liviandades también;
Lo que hoy acontece ya mañana se irá,
Pues no hay nada que tenga permanente sostén.

Es la ley de la vida, que hay principio y hay fin;
Lo que nace y crece dejará de existir.
Todo se hunde en el tiempo que nos traga y es ruin;
Hay un poco de todo: de llorar y reír.

Surge el sol en el Este con su carga de luz
Para abrir otro día de trabajo y afán;
Pero llega la noche y en su negro capuz
A las horas se lleva, que no más volverán.

Nace un ser como niño y a ser joven alcanza
Y al correr de los años llega a viejo tal vez;
Y el vigor se le esfuma, se le va la esperanza
Y se siente humillado, sin valor ni altivez.

Y las ruedas del año son sus cuatro estaciones:
Primavera y verano; el otoño, el invierno;
Una va tras la otra como uncidos vagones
En el tren pasajero en su viaje a lo eterno.

Son la tierra y el tiempo el fugaz escenario
En que eventos se asoman y nos dicen "adiós";
Hoy las notas se escuchan del febril campanario
Que mañana su eco lo oirá sólo Dios.

Cual las aguas de un río que hacia el mar siempre van
Sin que nada detenga su incesante correr,
Nuestros años también presurosos se irán
Para ser sólo sombras de un pretérito ayer.

Todo pasa y se acaba; todo muere al nacer.
Lo que tiene principio también tiene su fin.
Pero el Dios de los cielos, que es eterno en su Ser,
Soberano gobierna sobre el vasto confín.

La lección aprendamos: por un tiempo muy breve
A la tierra venimos para luego salir;
Pero en todos nosotros el Espíritu mueve
El anhelo profundo de en los cielos vivir.